世界文学经典书系

昆 虫 记

KUN CHONG JI

北京燕山出版社

图书在版编目（CIP）数据

昆虫记 /（法）法布尔（Fabre, J. H .）著; 邱天宇译. –
北京:北京燕山出版社,2008.12
（世界文学经典书系）
ISBN 978 – 7 – 5402 – 2010 – 5

Ⅰ.昆…　Ⅱ.①法…②邱…　Ⅲ.昆虫学 – 普及读物
Ⅳ.Q96-49

中国版本图书馆 CIP 数据核字（2008）第 139396 号

昆 虫 记

责任编辑　陈赫男
出版发行　北京燕山出版社
地　　址　北京市宣武区陶然亭 53 号
邮政编码　100054
印　　刷　天津泰宇印务有限公司
经　　销　全国新华书店
开　　本　710 × 1000　1/16
印　　张　120
版　　次　2009 年 9 月第 1 版
印　　数　5000
书　　号　ISBN 978 - 7 - 5402 - 2010 - 5
定　　价　298.00 元(全套 10 册)

前言 QIANYAN

《昆虫记》是法国杰出昆虫学家、文学家法布尔的传世佳作，也是一部不朽的著作。它熔作者毕生研究成果和人生感悟于一炉，以人性观照昆虫性，将昆虫世界化作了人类获得知识、趣味、美感和思想的美文。

一个人耗费一生来观察、研究"虫子"，已经算是奇迹了。一个人一生专为"虫子"写出十卷大部头的书，更不能不说是奇迹。而这些写"虫子"的书居然一版再版，先后被翻译成50多种文字，直到百年之后还会在图书界一次又一次地引起轰动，更是奇迹中的奇迹。《昆虫记》不仅是一部研究昆虫的科学巨著，同时也是一部讴歌生命的宏伟诗篇。法布尔也由此获得了"科学诗人"、"昆虫荷马"、"昆虫世界的维吉尔"等桂冠。

人类并不是一个孤立的存在，地球上的所有生命包括蜘蛛、黄蜂、蝎子、象鼻虫在内，都在同一个紧密联系的系统之中。昆虫也是地球生物链上不可缺少的一环，昆虫的生命也应当得到尊重。

《昆虫记》的确是一个奇迹，是由人类杰出的代表法布尔与自然界众多的平凡子民昆虫，共同谱写的一部生命的乐章，一部永远解读不尽的书。这样一个奇迹在人类即将迈进新世纪大门，地球即将迎来生态学时代的紧要关头，也许会为我们提供更珍贵的启示。

　　法布尔老人拥有"哲学家一般地思，美术家一般地看，文学家一般地感受与抒写"。在《昆虫记》中，他将专业知识与人生感悟熔于一炉，娓娓道来，在对种种昆虫的日常生活习性、特征的描述中体现出自己对生活特有的眼光，字里行间洋溢着对生命的尊重与热爱。

　　毕生观察昆虫的法布尔与世无争，宁愿整日趴在石头上津津有味地观察昆虫们的喜怒哀乐，也不愿去参加一场上流社会的晚宴。在与昆虫的默默交流中，法布尔与大自然融合地无比和谐。虽然他身为博士，受过拿破仑三世几分钟接见，并且在阿维尼翁市任教，可他并不看重这些。他举家迁居小镇边缘，住老旧民宅，为了研究虫子，他愿孤独、清苦地走完一生。

　　本书在原著的基础上进行了改写，力图通俗易懂，符合青少年的接受能力和欣赏水平。

编　者

目录

目录

筑巢高手——樵叶蜂

zhù cháo gāo shǒu　　qiáo yè fēng

当你在花丛中漫步时，如果细心观察，你会惊奇地发现丁香花或玫瑰花的叶子上有一些形状规则的小洞，有的呈圆形，有的呈椭圆形，就像是被谁用巧妙的手法剪过了一般。有些叶子上的小洞实在太多了，叶子就只剩下叶脉了。

这究竟是谁干的呢？它们这么做是为什么呢？是因为好吃，还是因为好玩？小朋友们，这些问题你有没有想过？实际上，所有这些都是樵叶蜂干的。它们在叶子上转动身体，用剪刀一样

的嘴巴剪下了小叶片。

它们这样做可不是为了好玩儿，也不是拿来吃的。要知道，这些剪下来的小叶片对这些樵叶蜂来说实在是太重要了。它们把这些小叶片拼凑成一个个针箍形的小袋用来储藏蜂蜜和卵。

我们常见的樵叶蜂是白色的，身上带着条纹。它们通常寄居在蚯蚓的地道里，如果你在泥滩边仔细寻找，就能发现这些地道。地道的深处既阴暗又潮湿，因此樵叶蜂只会用靠近地面的那段作为自己的住处。但是樵叶蜂一生中会遇到许多天敌，仅仅用地道去抵御敌人的袭击是不够的。

于是，那些剪下来的碎叶便派上了大用场。樵叶蜂会用一些零零碎碎的树叶将地道底部塞住。然后，樵叶蜂会在这些碎叶片上建一叠小巢。建巢所需要用的叶子要求可高了，它们必须是大小差不多、形状还要整齐的碎叶。圆形叶片用来做巢盖，椭圆形叶片用来做底和边缘。

令人惊奇的是，每个用来做巢盖的圆叶子大小都非常合适，天衣无缝地把小巢盖上。樵叶蜂没有任何可以用作模子的工具，也没有精确的仪器，它是靠什么来剪下这么多精巧的叶子的呢？

樵叶蜂的巢设计得非常完美。在几何学的实际运用中，樵叶蜂的确胜过了我们。它们的整个操作过程我们都无法解释，看着它们的巢和盖子，我们真的自叹不如。

3

横行者——蟹蛛

假如我问你："什么东西是横着走路的？"

"螃蟹！"你一定会不假思索地大声回答。

的确，螃蟹是我们最常见的横行动物了，所以我们也常称它们是"横行将军"。可是，还有一种动物，它也是横着走的，这个你大概不知道吧！这就是蟹蛛。

蟹蛛，是蜘蛛的一种，由于走路的样子极像螃蟹，所以被人们形象地称作"蟹蛛"。蟹蛛是一种非常漂亮的小动物。它们的皮肤比任何绸缎都要好，有的是乳白色、有的是柠檬色。有些蟹蛛腿上有着粉红的环，背上镶着深红的花纹，有的胸部还有一条淡绿色的带子。这身打扮虽然

不如条纹蛛那么富丽，却精致和谐，所以看起来比条纹蛛要高贵典雅得多。

就这么个小可爱，可是一个凶狠十足的刽子手。

这种蜘蛛不会用网猎取食物。它的捕食方法是：埋伏在花的后面，等着猎物经过。然后上去在它的颈部轻轻地一刺，你别小看这一刺，它能就此要了猎物们的命。蟹蛛尤其喜欢捕食蜜蜂。

蜜蜂采花蜜时专心致志，什么都不想，也不会开小差。它用自己的舌头舔着花蜜，一心一意地工作。当蜜蜂正埋头苦干的时候，蟹蛛早对它垂涎三尺，趁它不注意，就将它变成了餐中之物。

可是，凶狠的蟹蛛却是一个非常优秀的妈妈。

昆虫界的这些小生灵是多么复杂呀！

隧道开凿者——矿蜂

矿蜂，是一种细长形的蜜蜂，它们大的比黄蜂还大，小的比苍蝇还小。矿蜂的腹底有一条明显的沟，沟里藏着一根刺。如果遇到敌人，这根刺可以沿着沟来回地移动，以保护自己。

我们这里讲的矿蜂是一种有红色斑纹的蜂，它们的身材和黄蜂差不多，雌蜂有非常美丽的斑纹。

矿蜂常常把巢建在结实的泥土里面，每只矿蜂都有自己单独的房间。这个房间可是它一人的天下，除了它自己，谁都不可以进去。如果谁想闯进别人的房间，主人会毫不客气地给它一剑，谁愿意冒这样的危险呢？

看了上面这些，你会不会觉得矿蜂脾气太坏呢？其实并不是你想象的那样，矿蜂可谦虚友好了。

不信你看看这场面：一只蜂刚要出来，而另一只蜂正要进去，于是，那只要进去的蜂会很客气地让路，表现得可有风度和礼貌了，简直就像一个绅士。

矿蜂不仅谦逊，而且还很聪明。

看看它的小巢，每一个都修得光滑别致，上面还淡淡地保留着一个个漂亮的六角形的印子，相信吗，这可是它们舌头的杰作。

我曾经打算往巢里面灌些水，看看有什么后果，可是水一滴也没流进去。小矿蜂在自己巢上涂了一层唾液，可不要小看这层唾液，它们像油纸一样保护着矿蜂的家，雨水休想溜进去。

不过小矿蜂的家并不像想象中那样舒服，在它们周围可是埋伏了许多凶恶的强盗。有一种很细小的蚊子，就是矿蜂最可怕的敌人。它们会潜入矿蜂的家，把自己的卵产在那里，它们的幼虫出生后会把矿蜂储藏的食物吃光，而矿蜂宝宝却因没有食物而饿死了。

对了，说了这么久，你大概还不知道它们为什么叫矿蜂吧？这要从它们的工作说起。每年4月，矿蜂就开始忙碌起来了。它们的工作，我们很少有机会看到，唯一可以证明它们在工作的就是那一堆堆小土山。它们在干什么呢？

我想，聪明的你一定猜到了。对了，它们的确是在开采它们自己的地下隧道，它们的家就安在那里。这下子明白我们为什么管它们叫矿蜂了吧！

爱食枯露菌的甲虫

我们现在要讲到的甲虫是一种以枯露菌为食的甲虫，我是在一个有很多蘑菇的松树林里发现这种甲虫的。在认识甲虫之前，我们先来认识一下枯露菌。所谓枯露菌，指的是一种生长在地底下的蘑菇。

这种爱吃枯露菌的甲虫，是一种美丽的甲虫。它们个头小小的，黑黑的，有一个圆圆的白绒肚皮，像是一粒樱桃的核。当它用翅膀的边缘摩擦着腹部时，就会发出一种柔软的"唧唧"声，听起来就像小鸟看见

mǔ qīn dài zhe shí wù huí jiā shí suǒ fā chū de shēng yīn yí yàng
母亲带着食物回家时所发出的声音一样。

xióng jiǎ chóng tóu shang hái zhǎng zhe yí gè měi lì de jiǎo
雄甲虫头上还长着一个美丽的角。

zhè zhǒng jiǎ chóng shì gè liú làng zhě bìng qiě shì yè xíng kè suí biàn shén
这种甲虫是个流浪者，并且是夜行客。随便什

me shí hou tā xiǎng lí kāi zì jǐ zhè ge dòng de shí hou tā néng hěn róng yì
么时候，它想离开自己这个洞的时候，它能很容易

de qiān dào bié chù zào gè xīn cháo
地迁到别处造个新巢。

yǒu shí hou wǒ yùn qì hěn bú cuò néng zài dòng dǐ fā xiàn jiǎ chóng dàn yǒng
有时候我运气很不错，能在洞底发现甲虫，但永

yuǎn zhǐ yǒu yí gè huò cí huò xióng cóng bù chéng duì kàn lái zhè ge dòng bìng
远只有一个，或雌或雄，从不成对。看来，这个洞并

bú shì yí gè jiā tíng de suǒ zài dì ér shì zhuānmén gěi dú shēn de jiǎ chóng zhù de
不是一个家庭的所在地，而是专门给独身的甲虫住的。

nǐ kàn zhè dòng li de jiǎ chóng zhèng
你看，这洞里的甲虫正

zài kěn zhe yí gè mó gu yǐ jīng chī wán le
在啃着一个蘑菇，已经吃完了

yí bù fen tā suī rán yǐ jīng
一部分，它虽然已经

lèi le dàn réng jǐn jǐn de bào
累了，但仍紧紧地抱

zhe tā tā shì jué bù kěn
着它。它是决不肯

qīng yì fàng
轻易放

qì zhè ge
弃这个

mó gu de
蘑菇的，

zhè shì tā de bǎo bèi tā yì
这是它的宝贝，它一

生中的最爱。从周围许多吃剩的碎片来看，这只甲虫已经吃得饱饱的了。

当我从它手中夺过这个宝物的时候，我发现这是一种枯露菌。这个事实似乎可以解释甲虫的习惯和它常要换新居的理由。让我们想象一下吧，在静静的黄昏中，这个小旅行家便从它的洞里慢慢地踱着步走出来。它的心情看起来不错，一边快活地唱着歌，一边悠闲地散着步。它仔细地检查着土地，探察这地底下所埋的东西，它正是在找枯露菌呢。

它有一种我们人类还不知道的感觉，这种感觉告诉它，哪个地方有枯露菌，即使被泥土掩盖着，它的感觉也会告诉它。哪个地方虽然泥土肥沃，但地底下绝不会有菌类。

当它判定哪个地

点下面有菌类的时候，它就一直往下挖，结果总能找到它的食物。它挖的洞也成了它的临时宿舍，在食物没吃完之前，它是不会离开洞的。

在自己的洞里它快活地吃着，忘记了周围的一切，管它洞门是开着的还是关着的。

等到洞里的食物吃完了，它就要搬家了。它会在别处找一个适当的地方，再挖下去，然后住一阵子吃一阵子，等到新屋里的食物吃完了，它就再搬一次家。

整个秋季到来年春季，菌类生长旺盛，这些小甲虫就这样游历着，"打一枪换一个地方"。

它们就这样流浪着，很辛苦也很快乐！

永不迷路的蜜蜂

我一直希望能够了解更多的关于蜜蜂的故事。

我曾听说蜜蜂有很强的辨识方向的能力，无论它被丢在哪儿，它总是可以自己飞回到它的住处。于是，我亲自做了个实验想试一试。

一天下午，我在屋檐下的蜂窝里捉了20只蜜蜂，在它们的背上做了白色的记号。

然后把它们放进纸袋里，带着它们走了二里半路，然后放了它们，看看它们能不能飞回去。

记得我放走蜜蜂的时候，空中吹起了

微风。蜜蜂们飞得很低，贴着地面，我担心地想：它们这样怎么可以望到遥远的家呢？

可是，还没等我跨进家门，小女儿就冲我激动地叫道："有两只蜜蜂飞回来了！"

直到天黑时，我们还没见到其他蜜蜂回来。可是，第二天早上当我检查蜂巢时，又看见15只背上有白色记号的蜜蜂回到巢里了。

这样，20只中有17只蜜蜂没有迷失方向，它们准确无误地回到了家。尽管空中吹着逆向的风，尽管它们被关在袋子里带到一个完全陌生的环境中，它们还是凭借一种顽强的本能回来了。

蜜蜂可真称得上是不会迷路的精灵，它们高超的寻家本领正是我们人类所缺乏的。我还想看看别的昆虫是不是也有着和蜜蜂一样的本领，于是，我选择了红蚂蚁作为观察的对象。因为蚂蚁和蜜蜂是非常相似的两种昆虫。红蚂蚁是一种自己不会养儿育女，也不会寻找食物的蚂蚁。它们抢夺黑蚂蚁的子女，把它们训练成奴隶，替它们干活。

有一天，我看见一队红蚂蚁出了巢。我便在它们走过的路上撒上小石子做记号。这群红蚂蚁发现了黑蚂蚁的巢穴，它们冲了进去，经过一番厮杀后，黑蚂蚁被打败了，红蚂蚁抱着黑蚂蚁的婴儿凯旋而归。

我发现它们几乎是完全照着原路返回。我用叶子把几只红蚂蚁截到别处，它们便迷路了。原来它们并不像蜜蜂那样，靠辨认家的方向找到家，而是凭着对路过的景物的记忆找到回家的路。它们的这种记忆力非常惊人，即使路途十分遥远，要走几天几夜，它们也能凭着记忆找回家去。

守株待兔的条纹蜘蛛

寒冷的冬季，很多虫子都在冬眠。但如果你在野草丛或柳树丛中仔细搜索的话，你也许能找到一种有趣的东西——这就是条纹蜘蛛的巢。

无论从行为举止还是从颜色外观上讲，条纹蜘蛛都可以说是我所知道的蜘蛛中最完美的一种。看！在它那胖胖的像榛子仁一般大小的身体上有着黄、黑、银三色相间的条纹，因此被称为"条纹蜘蛛"。它们的八只脚环绕在身体周围，就像是车轮的辐条。

条纹蜘蛛几乎什么小虫子都爱吃。不论是蝗虫还是苍蝇，不论是蜻蜓还是蝴蝶，只要能捕捉到的虫子都是条纹蜘蛛可口的食物。

只要它能找到攀网的地方，它就会立刻织起网来。它喜欢把网横跨在小溪的两岸，因为那种地方比较容易捕获猎物。有时候它也会把网织在长着小草的斜坡上或树林里，因为那是蚱蜢经常出没的地方。

条纹蜘蛛捕捉猎物的武器便是它的那张网，它的网和别的蜘蛛的网没多大区别：网的周围攀在附近的树枝上，放射形的蛛丝从中央向四周扩散，然后在这上面连续地盘上一圈圈的螺线。整张网做得非常大，而且整齐对称，非常美观。

不同的是，在条纹蜘蛛的网的下半部分，有一根又粗又宽的带子，这是它的作品的标志，算是条纹蜘蛛极有个性的签名吧！同时，这种粗的折线也能增强网的坚固性。

网需要做得特别牢固，因为有时候猎物的分量很重，它们一挣扎，很可能会把网撑破。

条纹蜘蛛是不会自己选择或主动出击捕捉猎物的，当它们把网做好了，它们就静静地等待猎物自己送上门来。

这样，有时候它们会接连好几天一无所获，有时候它们的食物又会丰盛得好几天都吃不完。

这些蜘蛛捕食时很像古时候的角斗士，当有猎物撞到网上时，它们会从它们的丝囊里射出一张丝网，将猎物一圈一圈地缠住。然后，它们才不慌不忙地向猎物走过去，开始享用自己的美餐。

18

神秘寄生者

在八九月里，我们应该到光秃秃的、被太阳晒灼得发烫的山峡边去看看。让我们找一个正对太阳的斜坡，那儿往往热得烫手，因为太阳已经把它快烤焦了。

恰恰是这种温度像火炉一般的地方，正是我们观察的目标。就是在这种地方，我们可以有很大的收获。因为这一带热土，往往是黄蜂和蜜蜂的乐土。

它们往往在地下的土堆里忙着料理食物。这里堆上一堆象鼻虫、蝗虫或蜘蛛，

那里一组组分列着蝇类和毛毛虫类，还有的正在把蜜贮藏在皮袋里、土罐里、棉袋里或是树叶编的瓮里。在这些默默地埋头苦干的蜜蜂和黄蜂中间，还

夹杂着一些别的虫，那些我们称之为寄生虫。

它们匆匆忙忙地从这个家赶到那个家，耐心地躲在门口守候着。你别以为它们是在拜访好友，它们这些鬼鬼祟祟的行为绝不是出于好意，它们是要找一个机会去牺牲别人，以便安置自己的家。

这有点类似于我们人类世界的争斗：劳苦的人们，刚刚辛辛苦苦地为儿女积蓄了一笔财产，却碰到一些不劳而获的家伙来争夺这笔财产。

有时还会发生谋杀、抢劫、绑票之类的恶性事件，充满了罪恶和贪婪。至于劳动者的家庭，劳动

者们曾为它付出了很多心血，贮藏了很多他们自己舍不得吃的食物，但最终也被那伙强盗活活吞灭了。

世界上几乎每天都有这样的事情发生。昆虫世界也是这样，只要存在着懒惰和无能的虫类，就会有把别人的财产占为己有的罪恶。

蜜蜂的幼虫们都被母亲安置在四周紧闭的小屋里，或待在丝织的茧子里，为的是可以静静地睡一个长觉，直到它们变为成虫。

可是这些宏伟的蓝图往往不能实现，敌人自有办法攻进这四面不通的堡垒。每个敌人都有它特殊的战术——那些绝妙又狠毒的技巧，你根本连想都想不到。

你看，一只奇异的虫，靠着一根针，把它自己的卵放到一条蛰伏着的幼虫旁边——这幼虫本是这里真正的主人。或是一条极小的虫，边爬边滑地溜进了人家的巢，于是，蛰伏着的主人永远长睡不醒了，因为这条小虫立刻要把它吃掉。

那些手段毒辣的强盗，毫无愧意地把人家的巢和茧子。作为自己的巢和茧子，到了来年，善良的女主人已经被谋杀，抢了巢杀了主人的恶棍倒出世了。

看看这一个，身上长着红白黑相间的条纹，形状像一只难看而多毛的蚂蚁，它一步一步仔细地考察着一个斜坡，巡查每一个角落，还用它的触须在地面上试探着。

如果你看到它，一定会以为它是一只粗大强壮的蚂蚁，只不过它的服装要比普通的蚂蚁漂亮。

这是一种没有翅膀的黄蜂，它是其他许多蜂类幼虫的天敌。它虽然没有翅膀，可是它有一把短剑，或者说是一根利刺。只见它踯躅了一会儿，在某个地方停下来，开始挖和扒，最后居然挖出了一个地下巢穴，就跟经验丰富的盗墓贼似的。这巢在地面上并没有痕迹，但这家伙能看到我们人类所看不到的东西。它钻到洞里停留了一会儿，最后又重新在洞口出现。

这一去一来之间，它已经干下了无耻的勾当：它潜进了别人的茧子，把卵产在那睡得正酣的幼虫的旁边，等它的卵孵化成幼虫，就会把茧子的主人当做丰美的食物。这里是另外一种虫，满身闪耀着金色的、绿色的、蓝色的和紫色的光芒。

它们是昆虫世界里的蜂雀，被称作金蜂，你看到它的模样，

23

决不会相信它是盗贼或是搞谋杀的凶手。可它们的确是用别的蜂的幼虫做食物的昆虫，是个罪大恶极的坏蛋。这十恶不赦的金蜂并不懂得挖人家墙角的方法，所以只得等到母蜂回家的时候溜进去。你看，一只半绿半粉红的金蜂大摇大摆地走进一个捕蝇蜂的巢。那时，正值母亲带着一些新鲜的食物来看孩子们。

然后，这个"侏儒"就堂而皇之地进了"巨人"的家。它一直大摇大摆地走到洞的底端，对捕蝇蜂锐利的刺和强有力的嘴巴似乎丝毫没有惧意。

至于那母蜂，不知道是不是不了解金蜂的丑恶行径和名声，还是给吓呆了，竟任它自由进去。来年，如果我们挖开捕蝇蜂的巢看看，就可以看到几个赤褐色的针箍形的茧子，开口处有一个扁平的盖。

在这个丝织的摇篮里，躺着的是金蜂的幼虫。至于那个一手造就这坚固摇篮的捕蝇蜂的幼虫呢？它已完全消失了，只剩下一些破碎的皮屑。它是怎么消失的？当然是被金蜂的幼虫吃掉了！

看看这个外貌漂亮而内心奸恶的金蜂，它身上穿着金青色的外衣，腹部缠着"青铜"和"黄金"织成的袍子，尾部系着一条蓝色的丝带。

当一只泥匠蜂筑好了一座穹形的巢，把入口封闭，里面的幼虫渐渐成长，把食物吃完，吐着丝装饰着它的屋子的时候，金蜂就在巢外等候机会了。

一条细细的裂缝，或是水泥中的一个小孔，都足以让金蜂把它的

卵塞进泥匠蜂的巢里去。

总之，到了5月底，泥匠蜂的巢里又有了一个针箍形的茧子，从这个茧子里出来的，又是一个口边沾满无辜者的鲜血的金蜂，而泥匠蜂的幼虫，早被金蜂当做美食吃掉了。

正如我们所知道的那样，蝇类总是扮演强盗或小偷或歹徒的角色，虽然它们看上去很弱小，有时候甚至你用手指轻轻一撞，就可以把它们全部压死。

可它们的确祸害不小。

有一种小蝇，身上长满了柔软的绒毛，娇软无比，只要你轻轻一摸就会把它压得粉身碎骨，它们脆弱得像一丝雪片。可是，当它们飞起来时，却有着惊人的速度。乍一看，好像一个迅速移动的小点儿。它在空中徘徊着，由于翅膀震动得飞快，你看不出它在运动，倒觉得是静止的，好像是被一根看不见的线吊在空中。如果你稍微动一下，它就突然不见了。

你会以为它飞到别处去了，怎么找都没有。它到哪儿去了呢？其实，它哪儿都没去，它就在你身边。

当你以为它真的不见了的时候，它早就回到原来的地方了。它飞行的速度是如此之快，使你根本看不清它运动的轨迹，那么它又在空中干什么呢？它正在打坏主意，在等待机会把自己的卵放在别人预备好的食物上。

我现在还不能断定它的幼虫所需要的是哪一种食物：蜜，猎物，还是其他昆虫的幼虫？

有一种灰白色的小蝇，我对它比较了解，它蜷伏在日

光下的沙地上，等待着抢劫的机会。当各种蜂类猎食回来的时候，有的衔着一只马蝇，有的衔着一只蜜蜂，有的衔着一只甲虫，还有的衔着一只蝗虫。

大家都满载而归的时候，灰蝇就上来了，一会儿向前，一会儿向后，一会儿又打着转，总是紧跟着蜂类，不让它从自己的眼皮底下溜走。当母蜂把猎物夹在腿间拖到洞里去的时候，它们也准备行动了。就在猎物将要全部进洞的那一刻，它们飞快地飞上去停在猎物的末端，产下了卵。就在那一眨眼的工夫里，它们以迅雷不及掩耳之势完成了任务。母蜂还没有把猎物拖进洞，猎物已带着新来的不速之客的种子了。这些"坏种子"变成虫子后，会把这猎物当做成长所需的食物，而让洞的主人的孩子们活活饿死。

不过，退一步想，对于这种专门靠掠夺人家的食物，吃人家的孩子来养活自己的蝇类，我们也不必对它们过于指责。

一个懒汉吃别人的东西那是可耻的，我们会称他为"寄生虫"，因为它牺牲了同类来养活自己。可昆虫从来不做这样的事情，它们从来不掠取其同类的食物，昆虫中的寄生虫掠夺的都是其他种类昆虫的食物，所以跟我们所说的"懒汉"还是有区别的。你还记得泥匠蜂吗？没有一只泥匠蜂会去沾染一下邻居所隐藏的蜜，除非邻居已经死了，或者已经搬到别处去很久了。其他的蜜蜂和黄蜂也一样。所以，昆虫中的"寄生虫"要比人类中的"寄生虫"高尚得多。

我们所说的昆虫的寄生，其实是一种"行猎"行为。例如那没有翅膀，长得跟蚂蚁似的那种蜂，它用别的蜂的幼虫喂自己的孩子，就像别的蜂用毛毛虫、甲虫喂自己的孩子一样。一切东西都可以成为猎手或盗贼，就看你从怎样的角度去看待它。

其实，我们人类是最大的猎手和最大的盗贼。我们偷吃了小牛的牛奶，偷吃了蜜蜂的蜂蜜，就像灰蝇掠夺蜂类幼虫的食物一样。人类这样做是为了抚育自己的孩子。自古以来人类不也总是想方设法地把自己的孩子拉扯大，而往往不择手段吗？

可爱的蟋蟀

谁想观看蟋蟀产卵都用不着做什么准备工作，只要有点耐心就行。布封说："耐心是一种天赋。"我却谦虚地称之为观察者的优秀品质。4月份，最迟5月份，我们给它们配对，单独放在花盆里，放一层土，压实。食物只是一片莴苣叶，要常常换上新鲜的。花盆上盖上一块玻璃，以防它们跳出来跑掉。

这种装置简单有效，必要时还可以加一个金属网罩，那就更加高级了。这样，我们就可以获得一些极其有趣的资料了，我们以后再谈这些。眼下，我们要盯着它产卵，必须时刻警惕着，不让有

利时机溜掉。

我持之以恒的观察有了初步满意的结果是在6月的第一个星期。我突然发现母蟋蟀一动不动，输卵管垂直地插入土层里。它并不在意我这个冒失的观察者，久久地待在同一个点上。

最后，它拔出输卵管，漫不经心地把那小孔洞的痕迹给抹掉，歇息片刻，溜达了一会儿，随即便在其花盆内它的地界里继续产卵。它像白额螽斯一样重复干着，但动作要慢得多。二十四小时之后，产卵似乎结束了。为了保险起见，我又继续观察了两天。我翻动花盆的土；卵呈淡黄色，两端圆圆的，长约3毫米。卵一个一个地垂直排列在土里，每次产卵的数目不等，有多有少，相互紧靠在一起。我在花盆两厘米深的土里都发现有卵。我用放大镜尽量数清土里的卵，我估计一只母蟋蟀一次产卵有五六百个。这么多的卵肯定不久后就会大大地淘汰掉。

蟋蟀卵真像是个绝妙的小机械。孵出后，卵壳似一只不透明的白筒子，顶端有一个十分规则的圆孔，圆孔边缘是一个圆帽，作为孔盖用。圆帽并非由新生儿随意顶开或钻破的，而是中间有一条特别线条，闭合不紧，可自动启开。看卵孵出会挺有趣的。

卵产下之后大约半个月，前端出现两个又大又圆的黑黄点，那是蟋蟀的眼睛。在这两个圆点稍高处，在圆筒子的顶端，出现一条细小的环状肉，卵壳将从这儿裂开。很快，半透明的卵就能让我们看到婴儿那孵化中的小样儿。这时候就必须倍加小心，增加观

察次数，尤其是早晨。

幸运垂青耐心的人，我的孜孜不倦终于有了回报。稍稍隆起的肉在不停地变化着，出现了一拱就破的一条细线。卵的顶端被婴儿的额头顶着，顺着那条细肉线抻着，像小香水瓶一样微微启开，分落两旁，蟋蟀便像小魔鬼似的从这个魔盒中钻出来了。

小魔鬼出来之后，壳儿还鼓胀着，光滑而完整，呈纯白色，圆帽挂在孔口。鸟蛋是由雏鸟喙上专门长着的一个硬肉瘤撞破的，蟋蟀的卵则是一个高级小机械，犹如一只象牙盒子似的自动启开。小蟋蟀额头一顶，铰链就启动，壳就张开了。

小蟋蟀脱掉身上的那件精细外套，浑身发灰，几近白色，立刻便与上面压着的土搏斗起来。它用大颚拱土，蹬踢着，把松软碍事的土扒拉到身后去。

它终于钻出土层，沐浴着灿烂的阳光，但它如此瘦小，不比一只跳蚤大，在弱肉强食的世界上经历风险。二十四个小时后，它体色变化，成了一个漂亮的小黑蟋蟀，乌黑的颜色可与成年蟋蟀一争高下。原先的灰白色只剩下一条白带围着胸前，宛如牵着婴儿学步的背带。

它十分敏捷，用它那颤动着的长触须探查周围空间；它奔跑、蹦跳，开心得很，以后体态发胖就没这么欢蹦乱跳的了。它年幼胃嫩，该给它吃些什么呢？我全然不知。我像喂成年蟋蟀一样，拿嫩莴苣叶喂它，它不屑吃它，也许是吃了点而我没看出来，因为它咬的印迹不明显。

不出几天工夫，我的十对蟋蟀大家庭成了我的一大负担。五六千只小蟋蟀，当然是一群漂亮的小家伙，可如何照料它们我却一无所知，这叫我如何是好。

啊，我可爱的小家伙们，我将给予你们充分的自由，我将把你们托付给大自然这个至高无上的教育者。

我就这么办了。我找到花园里最好的一些地方，把它们这儿那儿地放生一些。如果它们一个个都活得很好，明年我的门前会有多么美妙动听的音乐会呀！但是，这美景并未出现，可能不会有什么美妙动听的音乐会了，因为母蟋蟀虽然大量产仔，随之而来的却是凶残的杀戮。幸存下来的很可能只有几对蟋蟀。

首先奔来抢掠这天赐美味大开杀戒的是小灰壁虎和蚂蚁。尤其是蚂蚁这个可恶的强徒恐怕不会在我的花园里给我留下一只蟋蟀的。它抓住可怜的小家伙们，咬破它们的肚皮，疯狂地大嚼一通。

啊！该死的恶虫！可我们一直把它视为第一流的昆虫呢！书本上在赞扬它，还对它赞不绝口；博物学家们把它们捧上了天，每天都在为它们锦上添花。动物同人类一样，让自己声名远扬的办法有千万种，其中一个办法就是损人利己，这是千真万确的道理。

谁都不了解弥足珍贵的清洁工——食粪虫和埋葬虫，但可吸血的蚊虫，长毒刺的凶狠好斗的黄蜂以及专干坏事的蚂蚁却无人不知无人不晓。在南方的村子里，蚂蚁毁坏房屋椽子的热情就如同它们掏空一棵无花果树一样。我无须赘述，每个人都能从人类的档案馆中找到类似的例证：好人无人知晓，恶人声名远扬。由于蚂蚁以及别的一些杀戮者的屠杀之无情，我花园中开始时数量颇多的蟋蟀日渐稀少，使我的研究难以为继。我只好跑到花园以外的地方去进行观察了。

8月里，在尚未被三伏天的烈日烤干的草

地上的小块

绿洲的落叶中，我发现了已经长大了的小蟋蟀，与成年蟋蟀一样全身墨黑，初生时的白带子已经全退去了。它居无定所，一片枯叶、一片砖瓦足可以遮风避雨，犹如不考虑何处歇足的流浪民族的帐篷一样。直到10月末，初寒来临，它才开始筑巢做窝。据我对囚于钟形罩中的蟋蟀的观察，这个活儿非常简单。蟋蟀从不在其中的一个裸露地点筑巢，而总是在吃剩的莴苣叶遮盖着的地方做窝，莴苣叶代替了草丛作为隐藏时不可或缺的遮掩。

蟋蟀工兵用前爪挖掘，利用其颚钳挖掉大沙砾。我看见它用它那有两排锯齿的有力后腿在蹬踢，把挖出的土踹到身后，呈一斜面，这就是它筑巢做窝的全部工艺。

一开始活儿干得挺快。在我囚室的松软土层

38

里，两个小时的工夫，挖掘者便消失在地下了。它还不时地边后退边扫土地回到洞口。如果干累了，它便在尚未完工的屋门口停下来，头伸在外面，触须微微地颤动着。休息片刻之后，它又返回去，边挖边扫地继续干起来。不一会儿，它又歇歇，歇息的时间也越来越长，我观察的劲头儿也随之降低了。

最紧迫的活儿完成了。洞深两寸，目前已够用了。余下的活儿费时费力，得抽空去做，每天干一点。天气日渐转凉，自己的身体也在渐渐长大，巢穴得逐渐加深加宽。即使到了大冬天，只要天气暖和，洞口有太阳，也能常常看见蟋蟀在往外弄土，说明它在修整扩建巢穴。到了春光明媚时，巢穴仍在维修，不停地修复，直至屋主去世为止。

4月过完，蟋蟀开始歌唱。先是一只两只，羞答答地独鸣，不久便响起交响乐来。每个草柯柯里都有一只蟋蟀在歌唱。我很喜欢把蟋蟀列为万象更新时的歌唱家之首。在我家乡的灌木丛中，当百里香和薰衣草盛开之时，蟋蟀不乏其应和者，百灵鸟飞向蓝天，展放歌喉，从云端把其美妙的歌声传到人间。地上的蟋蟀虽歌声单调，缺乏艺术修养，但其纯朴的声音与万象更新的质朴欢快又是多么的和谐呀！它那是万物复苏的赞歌，是萌芽的种子和嫩绿的小草能听懂的歌。在这二重唱中，优胜奖将授予谁？我将把它授予蟋蟀。它以歌手之多和歌声不断占了上风。当田野里青蓝色的薰衣草如同散发青烟的香炉在迎风摇曳时，百灵鸟就不再歌唱了，人们只能听见蟋蟀仍在低声地唱着，仍在庄重地歌颂着。

现在，解剖家跑来啰唆了，粗暴地对蟋蟀说："你那唱歌的玩意儿让我们瞧瞧。"它的乐器极其简单，如同真正有价值的一切东西一样。它与螽斯的乐器原理相同：带齿条的琴弓和振动膜。

蟋蟀的右鞘翅除了裹住侧面的皱襞之外，几乎全部覆盖在左鞘翅上。这与我们所见到的绿蚱蜢、螽斯、距螽以及它们的近亲完全相反。蟋蟀是右撇子，而其他的则是左撇子。

两个鞘翅结构完全一样，知道一个也就了解了另一个我们先来看看右鞘翅吧。它几乎平贴在背上，但在侧面突呈直角斜下，以翼端紧裹着身体。翼上有一些斜向平行的细脉，脊背上有一些粗壮的翅脉，呈深黑色，整体构成一幅复杂而奇特的图画，形同阿拉伯文似的天书。

鞘翅透明，呈淡淡的棕红色。只是两个连接处不是如此：一个连接处大些，三角形，位于前部；另一个小些，椭圆形，位于后部。这两个连接处都由一条粗翅脉围着，并有一些细小的皱纹。第一处还有四五条加固的人字形条纹，后一处只是一条弓形的曲线。这两处就是这类昆虫的镜膜，构成其发声部位。其皮膜的确比别处的细薄，是透明的，尽管略呈黑色。

那确实是精巧的乐器，比螽斯的要高级得多。弓上的150个三棱柱齿与左鞘翅的梯级互相啮合，使四个扬琴同时振动。下方的两个扬琴靠直接摩擦发音，上方的两个则由摩擦工具振动发声。它发出的声音是多么雄浑有力啊！螽斯只有一个不起眼的镜膜，声音只能传到几步远的地方，而蟋蟀有四个振动器，歌声可以传到数百米以外。

蟋蟀声音的响度可与蝉匹敌，而且还不像蝉的叫声那么沙哑，令人讨厌。更妙的是，蟋蟀的叫声抑扬顿挫。我们说过，蟋蟀的鞘翅在各自的体侧伸出，形成一个阔边，这就是制振器；阔边往下一点，即可改变声音的强弱，根据与腹部软体部分接触的面积大小，时而是轻声低吟，时而是歌声嘹亮。

只要不爆发交尾期间本能的争斗，蟋蟀们便会在一起和平相处。但是在求欢者们之间，打斗是家常便饭，互不相让，但结局倒并不严重。两个情敌头顶着头，互相咬脑袋，但它们的脑壳是一顶坚硬的头盔，能够顶住对方铁钳的夹掐。只见它俩你顶我拱，扭在一起，然后复又挺立，随即各自离去。

战败者逃之夭夭，

得胜者先是放

开歌喉羞辱对

方，然后转而柔声低吟，围着情人轻唱求欢。求欢者很会搔首弄姿：它手指一勾，把一根触须拽回到大颚下面，把它蜷曲起来，用其唾液作为美发霜在其上涂抹。它的尖钩、镶着红饰带的长长的后腿，焦急地跺着，向空中蹬踢着。它因激动而唱不出声来。它的鞘翅在急速地颤动着，但却不再发出声响，或者只是发出一阵零乱的摩擦声。

如果求爱无果，母蟋蟀会跑到一片生菜叶下躲藏起来。但是它还是微微撩起门帘在偷看，而且也想被那只公蟋蟀看见。

它向柳树丛中逃去，但却在偷窥着求欢者。

两千年前的一首牧歌就是这么温情地歌颂着的。情人间打情骂俏到处都一个样儿！

有毒的昆虫
yǒu dú de kūn chóng

毛虫的毒素之源在它的绒毛中吗？如果不在，它到底来自什么地方呢？首先我们来看松树上爬行的松毛虫。它是否像膜翅目昆虫那样有一个分泌毒素的腺体器官呢？经过解剖证明，引起痒痛的毛虫和不引起痒痛的毛虫身体内部器官相同。

毒素不来源于身体的某个特定位置，那么它就有可能来源于全身，有可能以高等动物的尿素的方式存在于血液之中。这只是一种科学的猜测，在实验没有得出令人信服的证据之前，它还没有很高的价值。

接下来，我们用实验来看一下猜测是否正确。我捉

来了一些松树上成串爬行的毛虫，在它们身上采

了几滴血。我用这些血浸湿了一小块吸墨纸，然后

用不透水的绷带把

这个纸片固定

在我的手臂上。

深夜，一

阵剧烈的疼痛

使我从睡梦

中醒来，但这种剧烈的疼痛同时也让我在精神上得

到了极大的享受，它证明了我的猜测：毛虫的血液之

中含有毒素。这种毒素能引起人的瘙痒、灼热、脓疮

以及表皮变化。实验的结论引起了我继续深入研究的

兴趣，我想：血液中的毒素不是参与运转的活性物质，

它是一种生命的废弃物、一种一边形成一边自我排

除的废渣。我希望能在毛虫的粪便中找到它。这种

粪便是粪和尿的混合物。

接下来，让我们来做新的实验。我把一些很干

的毛虫粪在乙醚中浸泡几天，浸泡液经过过滤、蒸发后浓缩成了几滴。接着，我将这几滴浓缩液滴到我的"荨麻疹块"上，那是折叠起来的、面积为2~3平方厘米的吸墨纸。当这一块四方形的纸浸泡得快湿透时，我将它贴在前臂的内侧，然后用一片橡胶把这块纸片盖上，因为橡胶不透水，它能保证毒素不向外渗出。最后我用一条绷带将橡胶和纸片绑紧。

1897年6月4日，由于下午在身上贴上了浸泡了浓缩液的"荨麻疹块"，整个夜晚我都感到奇痒难熬，并伴有阵阵刺痛。第二天下午，在这块纸片贴在我身上20个小时后，我将它取了下来。我的手臂变得又红又肿，表皮变粗并有一些坏死，有灼痛和发痒的感觉。

到了第三天，肿痛变得更加厉害，并且延伸到整整一大块肌肉里面。这块肌肉呈鲜艳的胭脂红色，用手指敲一下，会轻轻颤动。不久，又有大量的液体像小水滴那样渗出。

瘙痒在不断地增加，以至于晚上我为了安睡一会儿，只得在伤口处敷上硼砂凡士林。

五天之内，手臂上开始出现溃疡。疼痛是自然的，但伤口的外观却更令人感到难受。伤口处的皮已完全掉了，露出里面鲜红的肌肉，不停地颤动。早晚两次为我换药的人看到我的伤口每次都恶心得要吐。

三个星期后，皮肤开始恢复，肿痛虽然消失了，但是在表皮上留下了红斑。一个多月后，依然还有瘙痒、灼热的感觉。大概过了一个半月，瘙痒、灼热都消失了，但红斑依然存在。直到三个多月后，红斑才彻底消失。现在问题已经搞清楚了：松毛虫的毒素是生命过程中的一种废弃物，是生命有机体的残余。

毛虫将这些东西混在粪便中一起排出体外。粪便的成分有两种：大部分是消化的残余物，小部分是尿液。毒素究竟存在于消化的残余物中还是存在于尿液中？在研究这个问题前，我们来谈一下相关的问题，那就是松毛虫能引起人们痒痛的长毛起的作用。

有人回答说，松毛虫的长毛是一种有效的保卫自己的手段，它的这种有毒的浓密长毛让敌人十分害怕。

对于这种说法我并不赞同，广宵步甲后幼虫，它们生活在橡树毛虫的窝里，并且吞食毛虫，一点也不害怕这些居民的长毛。

杜鹃也在不停地吃着毛虫，以致沙囊里充满了毛虫的毛。另外一种说法是，松毛虫制备特别的毒素是为了对付其他的

也可引起刺痒的对手。我对此也表示怀疑，松毛虫比别的虫子更需要保护吗？裸露的昆虫没有能够使

敌人害怕的浓密长毛，它们似乎更应该武装起来对付来自各方的危险。这些问题使我产生了一种想法：所有的昆虫，不管是有毛的还是裸露的，都具有一种特别的毒素。只不过是有的昆虫通过长毛的刺痒痛表现出来了，有的则潜伏着而不被人所知。

我用蚕作为研究对象来验证我的想法。蚕是人们宠爱的昆虫，尤其是小孩们更是喜欢用手去玩弄它。蚕似乎不对人类构成任何伤害和威胁。但是，当我用乙醚浸泡蚕的干粪，将浸泡的液体浓缩成几滴。用与松毛虫实验同样的方法进行试验，结果令我十分惊奇：我的手臂上出现了和松毛虫粪便一模一样的溃疡。

通常情况下，人们认为蚕没有毒只是没有接触它们的粪便而已。养蚕的

妇女和姑娘因为长期和蚕打交道，都埋怨说吃了蚕的苦头。

她们身上经常奇痒难挨，尤其是劳动时裸露在外面的手臂。她们总以为是蚕身上的毒素在作怪。我告诉她们痒痛的真正原因不是接触蚕，而是接触蚕沙中的蚕粪。她们就在养蚕中尽量不去掀起有刺激性的灰尘，并且将衣服袖子放下来，不愉快的事情就很少发生了。

蚕的实验成功后，我又随机实验了各种虫子的粪便。这些虫子包括：甘蓝粉蝶、大孔雀蝶、二尾蛾、野草莓尼蛾等。这些实验都引起了不同程度的痛痒。由此可见，所有的毛虫都是有毒的。

然而，为什么在具有同样一种毒素的虫子中，有的令人害怕，有的却对人不构成危害？

让我们首先来观察一下松毛虫。

松毛虫的窝

是织造在树枝上的一个大囊袋。它的外表像丝那么洁白,看起来非常漂亮,内部却是一个让人非常厌恶的垃圾堆。

松毛虫们除了黄昏时排成宗教仪式行列从窝里出来,到附近的树枝上啃树叶外,其余的时间全部都待在窝里,这样就使得窝里堆积了大量的粪便。

松毛虫们在这样的污物中转来转去,到处乱钻,一点儿也不注意清洁卫生。它们的毛不断地轻轻接触粪便,使得毛的倒刺染上毒素。因此毛虫使人痒痛的原因,便是它长期接触自己的粪便。

再来看看尼蛾毛虫吧。它有着粗糙的毛皮,但表皮却无毒。这是因为它过着独居生活,并且从来不在自己的排泄物上停留。如果它们像松毛虫那样在像垃圾场一样的窝里群居,引起人痒痛的能力肯定要大大超过松毛虫。

最后，让我们来看一下蚕的情况。蚕似乎具有身上染毒素的条件，人们每次清理蚕沙时，都使得成群的蚕在自己的排泄物上乱钻乱动，但是它们为什么没有染上毒素呢？这里主要有两个原因：首先是蚕赤身裸体，不具备收集毒素的浓密的毛发。其次是它与脏物有一层桑叶相隔，而这层桑叶是每天都要更换的。

从上面的初步研究中我们可以得到这样的结果：所有的毛虫都排泄出一种引起痛痒的毒素。当毛虫在自己的排泄物中长期停留时，它的皮毛便会带有毒素，人们与它接触便会引起痒痛。

松树鳃角金龟

在开始描述松树鳃角金龟时，我是存心在发表异端邪说。这种昆虫正式名称为"缩绒鳃角金龟"。

我很清楚，关于术语分类法不必过于挑剔。你随便发出一种声音，再给它续上个拉丁文词尾，你就有了一个与昆虫学家标本盒上贴着的许多标签读音相近的词。如果这个粗俗的术语词指的是所标示的那种昆虫而非别的东西，那么这个词听起来不悦耳倒还罢了，但是，通常这个从希腊文或其他文种词根翻查出来的词都具有一些词义，初出茅庐者总希望从这里面找到一点儿启示，这样他就遭殃了。那个学术味的词告诉他的是一些不得要领且无甚意义的意思，所以他常常是被弄得糊里糊涂。它们把他引向一些与我们的观察所提供给我们的

54

真实情况没什么关联的现象。

这有时会造成极其明显的错误，有时会给你一些荒诞不经的暗喻。只要是名称叫着好听，找一些词源学无法分析的词语岂不很好？

如果说有些词不会让人立即想到其本义的话，那么"filllo"（缩绒）一词就属于此列。这个拉丁文词语意为"foulon"（缩绒工），也即把呢绒浸湿，使之变得柔软，并对它进行加工处理的人。本篇所述之鳃角金龟与缩绒工在什么方面有些关系呢？我也百思不得其解，找不到一个可以接受的答案。

老博物学家普林尼在其著作中用 fullo 给一种昆虫命了名。在有一篇中，这位大博物学家谈到了一些治疗黄疸、发烧、水肿的药物。在他的古方中，几乎应有尽有：黑狗的大长牙；粉红色布

包着的鼠嘴；从活绿蜥蜴身上取下来放在羊皮袋里的蜥蜴右眼；用左手掏出的一条蛇的心脏；用黑布包好的带着毒螯针的四条蝎尾（两天中不让病人看到此药以及制作此药的人），此外，还有不少怪诞的玩意儿。我吓得连忙把这本书合上，为这种治疗方法之愚昧无知而骇然。

在这些假借医学为幌子的荒谬药方中就有缩绒。书中写道：将缩绒金龟子一分为二，一半贴于右臂，另一半贴在左臂。那么这位古博物学家所说的缩绒金龟子是什么呢？我并不很清楚。在描述这种东西时还说身上带有白点，这与松树鳃角金龟的特征相符，后者也带有白点，但这并不足以说明这就是松树鳃角金龟。普林尼自己似乎也没有十分确定其最好的药物究竟是何物。在他那个时代，肉眼还不能观察这

种昆虫，因为它太小，只是孩子们的玩物，他们用一根长线拴住它，抡圆了甩着玩，有教养的大人对它是不屑一顾的。

这个专有名词看起来像是出自农村的没有知识又爱瞎起名字的观察者。老博物学家接受了也许是出自孩子们想象出来的这个乡野叫法，而且也未多加考证，差不多就这么用上了。这个词古色古香，出现在我们面前，现代博物学家们接受了它。这就是我们最漂亮的昆虫之一成为缩绒工的由来。许多世纪以来就这么沿用了这个怪异的称谓。

尽管我对古老语言非常尊敬，但我还是不喜欢这么一个术语，因为它用在这儿是毫无道理的。常理应该战胜分类目录中的谬误。为什么不称它为松树鳃角金龟，以纪念那种它所喜欢的树？那是它

57

空中生活的那两三个星期的天堂呀！其实这是很简单的事，是顺理成章的事。

在找到光明普照的真理之前必须在荒谬的黑夜之中久久地徘徊。我们所有的科学都证明着这一点，甚至数字科学。你试试把一组数字用罗马数字相加，你肯定会被那些复杂的符号搞得晕头转向而放弃，而且你将会承认零的发明在计算上是多么大的革命。这就是哥伦布的那只蛋，实际上不算是一回事，但你却必须想到它。

在将来会把不合时宜的"缩绒工"这个词抛弃之前，我们先把它叫做松树鳃角金龟吧。用这个名称谁也不会搞错，因为我们的这个昆虫只光顾松树。

它仪表堂堂，可与葡萄根蛀犀金龟

媲美。它的服装如果说没有金步甲、吉丁、金匠花金龟的金属外衣那么豪华的话，那至少也是罕见的高雅。在一种黑色或粟色的底色上散布着一层厚厚的散花白绒点，既朴素又大方。

作为头饰，雄性松树鳃角金龟在短须尖上有七片重叠的大叶片，根据其情绪的变化或呈扇形张开，或闭合起来。人们一开始可能会把这漂亮的簇叶当做一个高灵敏度的感官，可以嗅到极微弱的气味，可以感知几乎听不见的声波，可以获知我们的感官都感觉不到的其他一些信息。雌性松树鳃角金龟却不如雄性的感官灵敏，它作为母亲的职责要求它也必须像做父亲一样要感觉灵敏，然而它的触须头饰很小，由六片小叶片组成。雄性松树鳃角金龟那呈扇形张开的大头饰有什么用处？对于松树鳃角金龟来说，那个七叶器官犹如大孔雀蝶的颤动的长触角，犹如牛蜣螂额上的全副甲胄，犹如鹿角锹甲大颚上的枝杈。到了寻偶求欢之时，它们全会以各自的方式挑逗异性，以求一逞。

漂亮的鳃角金龟夏至将近时出现，与第一批蝉出现的时间差不多。由于它出现的时间很准确，所以在昆虫历中都标明了，而昆虫历并不比四季年历的精确性差。最长的白昼来到，天总不见黑，麦子一片金黄，这时，鳃角金龟总会准时爬到自己的树上去。

村里的儿童为纪念太阳节，都要在村子里的街道上点起圣诞节篝火，但这个节日都没有鳃角金龟出现的日子更加准确。

在这期间，每天黄昏时分，如果天气晴朗，鳃角金龟就会来到院子里的松树上。我仔细地观察着它们的一举一动。尤其是雄性鳃角金龟，在不乏激情地使劲儿，飞来转去，把自己那触角饰张得大大的；它们向着雌性鳃角金龟在等着它们的树杈飞去；它们飞过来飞过去，在最后一线光亮逐渐消失的苍茫天空中画出一道道黑线。它们歇了一会儿，又飞起来，重新开始繁忙地巡视。

在这半个月左右的狂欢之夜，它们在树上都干了些什么呢？

事情是明摆着的：它们在向美人们示爱，不断地献媚致意，直至夜色浓重。翌日清晨，雄的和雌的通常都占据着那些矮枝。它们单独地待在那儿，一动不动，对自己周围的一切无动于衷。用手去捉，它们也不逃走。

大多数都在用后爪吊住身子，蚕食一根松针，

它们咬着松针在悠悠地打盹儿。黄昏又来临时，它

们又开始嬉戏调情。

想看它们如何在树的高处嬉戏不怎么可能，我

们就试着把它们捉来观察吧。早晨，我捉了四对，

放进一个放着一根松枝的大笼子里。

我看到的情景并不符合我的期望，原因是它们

失去了飞翔的自由。顶多是可以不时地看到一只

雄性鳃角金龟向它所爱的雌性靠近。它展开自己

的触角叶片，轻轻地抖动它们，也许是在探询对方

是否接受它。它把自己打扮成美男子，炫耀着自己

那了不起的触角。但它未能遂愿，对方一动不动，

仿佛对它的展示无动于衷。囚禁生活使之忧伤悲

痛，难以克制，我未能继

续观察下去。交尾似乎

应该是在深夜进

行，因此我

错过了大好时机。

有一点尤为使我感兴趣。

雄性鳃角金龟能够发出乐声，雌性亦然。雄性是否在用这种乐声作为逗引和召唤雌性的手段？雌性听到求爱者的乐声是否也用一种类似的乐曲回答对方呢？正常条件下，在树冠中发生这种情况是极有可能的，但我无法肯定这一点，因为我无论是在松树上还是在笼子里都没听见过类似的乐声。这声音是从其腹部尖端发出的，腹尖轻轻地轮番抬起落下，尾部环节就会摩擦正保持静止状态的鞘翅后边缘。

在摩擦面和被摩擦面都没有什么特殊的发音器。我用放大镜反复地观察来观察去，也没有发现有专门用来发声的细微条纹。既然两个面都是光滑的，那么声音是如何发出来的呢？我们用湿手指在一块玻璃上或在一块窗玻璃上划过，就可以听见一种挺响的声音，与鳃角金龟所发出的声音有些相像。如果用一块橡皮在玻璃上摩擦，效果更佳，发出的声音更像鳃角金龟所发出的声音。如果注意音乐节拍，准能以假乱真，因为模仿得太像了。

鳃角金龟运动其腹部的柔软部分，就如同手指头上的肉质部分或那块橡皮，玻璃片或窗玻璃就如同光滑的鞘翅，它极薄又很硬，而且极易震颤。

因此，鳃角金龟的发声方法是非常简单的。如果想让它发出声音，只需用手指捏住它，并稍稍触动它一下即可。但它这并不是在歌唱，而是发出一种哀诉，是对自己不幸命运的抗争。在它那奇特的世界中，歌声在表达痛苦，而沉默则是表示欢乐。

隧蜂族群

你了解隧蜂吗？你大概是不了解。这无伤大雅，即使不了解隧蜂，照样可以品尝人生的种种温馨甜蜜。然而，只要努力地去了解，这些不起眼的昆虫却会告诉我们许多奇闻趣事。如果我们对这个纷繁的世界拓宽一点我们的知识面的话，同隧蜂打打交道并不是什么让人鄙夷不屑的事。既然我们现在有空闲的时间，那就了解了解它们吧。它们是值得我们去了解的。

怎么识别它们呢？它们是一些酿蜜工匠，体形一般较为纤细，比我们蜂箱中养的蜜蜂更加修长。它们成群地生活在一起，身材和体色多种多样，有的比一般的胡蜂个头儿要大，有的与家养的蜜蜂大小相同，甚至还要小一些。

这么多种多样，会让没经验的人束手无策。但是，有一个特征是永远不会改变的：任何隧蜂都清晰可辨地烙有本品种的印记。

你看看隧蜂肚腹背面腹尖上那最后一道腹环：如果你抓住的是一只隧蜂，那么其腹环则有一道光滑明亮的细沟。当隧蜂处于防卫状态时，细沟则忽上忽下地滑动。这条似出鞘兵器的滑动槽沟证明它就是隧蜂家族一员，无须再去辨别它的体形、体色。在针管昆虫属中，其他任何蜂类都没有这种新颖独特的滑动槽沟。这是隧蜂的明显标记，是隧蜂家族的族徽。

4月份，工程谨慎小心地开始了，不是一些新土小包的话，外面是一点也看不出来的。外面工地上没有一点动静。工匠们极少跑到地面上来，因为它们在井下的活儿十分繁忙。有时候，这儿那儿，有这么一个小土包的顶端晃动起来，随即便顺着圆锥体的坡面滑落下去，这是一个工匠造成的，它把清理的杂物抱出来，往土包上推，但它自己并没露出地面。

眼下，隧蜂只忙乎这种事。

5月带着鲜花和阳光来到了。4月里的挖土方的工人现在变成了采花工。我无论何时都能够看见它们待在开了天窗的小土包顶上，个个都浑身沾满黄花粉。个头儿最大的是斑纹蜂，我经常看见它们在我家花园小径上筑巢建窝。我们仔细地观察一下斑纹蜂；每当储存食物的活儿干起来的时候，总会不知从何处突然来了这么一位吃白食者。它将让我们目睹强抢豪夺是怎么回事。

5月里，上午10点钟左右，当储备粮食的工作正干得欢时，我每天都要去察看一番我那人口稠密的昆虫小镇。我在太阳地里，坐在一把矮椅子上，弓着腰，双臂支膝，一动不动地观察着，直到吃午饭时为止。引起我注意的是一个吃白食者，是一种叫不上名字的小飞虫，但却是隧蜂的凶狠的暴君。

这歹徒有名字没有？我想应该是有的，但我却并不太想浪费时间去查询这种对读者来说并没多大意义的事情。花时间去弄清枯燥的昆虫分类词典上的解说，倒不如把清楚明白地叙述的事实提供给读者为好。我只需简略地描绘一下这个罪犯的体貌特征就可以了。它是一种身长5毫米的双翅目昆虫，眼睛暗红，面色白净，胸廓深灰，上有五行细小黑点，黑点上长着后倾的纤毛，腹部呈浅灰色，腹下苍白，爪子系黑色。

在我所观察的隧蜂中，它的数量很多。它常常

蜷缩在一个地穴附近的阳光下静候着。一旦隧蜂收

获归来，爪上沾满黄色花粉，它便冲上前去，尾随

隧蜂，前后左右飞来转去，紧追不舍。最后，隧蜂突

然钻入自家洞中，这双翅目食

客也随即迅疾落在洞

穴入口附近。它一动

不动地，头冲着洞门，

等待着隧蜂干完自己的活儿。隧蜂终于又

露面了，头和胸廓探出洞穴，在自家门前停留片

刻。那吃白食者仍旧纹丝不动。

　　它们常常是面对面，间隔不到一

指宽。双方都不动声色。隧蜂没有

戒备伺机偷食的食客，至少，其外表

之平静让人做如是想。而食客也

丝毫没有担心自己的大胆行为会

受到惩罚。面对一根指头就能把它压扁的巨人，这

个侏儒却仍旧岿然不动。

　　我本想看到有哪一方表现出胆怯来，但却未能

如愿，没有任何迹象表明隧蜂已知自己家里有遭到

打劫之虞。而食客也没有流露出任何因会遭到严厉惩处的担心。打劫者与受害者双方只是互相对视了片刻而已。

巨大的宽宏大量的隧蜂只要自己愿意，就可以用其利爪把这个毁其家园的小强盗给开膛破肚了，可以用其大颚压碎它，用其螯针扎透它，但隧蜂压根儿就没这么干，却任由那个小强盗血红的眼睛盯住自己的宅门，一动不动地待在旁边。隧蜂表现出这种愚蠢的宽厚到底

是为什么呢？

隧蜂飞走了。小飞蝇立刻飞进洞去，像进自己家门似的大大方方。现在，它可以随意地在储藏室里挑选了，因为所有的储藏室都是敞开着的。它还趁机建造了自己的产卵室。在隧蜂归来之前，没

有谁会打扰它。让爪子沾满花粉,胃囊中饱含糖汁,是件颇费时间的活儿,而私闯民宅者要干坏事也必须有充裕的时间。但罪犯的计时器非常精确,能准确地计算出隧蜂在外面的时间。当隧蜂从野外返回时,小飞蝇已经逃走了。它飞落在离洞穴不远的地方,待在一个有利位置,瞅准机会再次打劫。

万一小飞蝇正在打劫时,被隧蜂突然撞见,会怎么样呢?出不了大事的。我看见一些大胆的小飞蝇跟随隧蜂钻入洞内,并待上一段时间,而隧蜂则正在调制花粉和蜜糖。当隧蜂掺兑甜面团时,小飞蝇尚无法享用,于是它便飞出洞外,在门口等待着。小飞蝇回到太阳地里,并无惧色,步履平稳,这就明显地表明它在隧蜂工作的洞穴深处并未遇到什么麻烦事。

如果小飞蝇太性急,太讨厌,围着糕点转个不停,后颈上准会挨上一巴掌，这是糕点主人会有的举动，但也就仅此而已。盗贼与被偷盗者之间没有严重的打斗。这一点，从侏儒步履平稳，安然无恙地从忙着干活儿的巨人洞穴里出来的样子就可以看得出来。

隧蜂无论满载而归或一无所获地回到自己家中时，总要迟疑片刻。它迅速地贴着地面前后左右地飞上一阵。它的这种胡乱飞行让我首先想到的是，它在试图以这种凌乱的轨迹迷惑歹徒。它这么做确实是必要的，但它似乎并没有那么高的智商。

它所担心的并非敌人，而是寻找自家宅门时的困难，因为附近的小土包一个又一个，相互重叠。昆虫小镇右街小巷窄，再加上每天都有新的杂物清理出来，小镇面貌日日有变。它的犹豫不决明显可见，因为它经常摸错了门，闯到别人家中。一看到门口的细微差异，它就立刻知道自己走错门了。于是，它重又努力地开始弯来绕去地探查，有时突然飞得稍远一点。最后终于摸到自家宅穴。它喜不自胜地钻了进去，但是，不管它钻得有多快，小飞蝇还是待在其宅门附近，脸冲着其门口，等待着隧蜂飞出来后好进去偷蜜。

当房主又出了洞门时，小飞蝇则稍稍退后一点，正好留出让对方通过的地方，仅此而已。它干吗要多挪地方呀？二者相遇是如此的相安无事，所以如果不知道一些其他情况的话，你是想不到这是窃贼与房主间的狭路相逢。

小飞蝇对隧蜂的突然出现并没有惊慌失措，它只是稍加小心了点而已。同样，隧蜂也没在意这个打劫它的强盗，除非后者跟着它飞，纠缠于它。这时，隧蜂一个急转弯就飞远了。

吃白食者
此刻也处于两
难境地。隧
蜂回来时甜
汁在其嗉囊
中，花粉沾
在爪钳里，甜

汁盗贼吃不着，花粉尚无定型，是粉末状的，也进
不了口。再者，这一点点花粉也不够塞牙缝的。为
了集腋成裘制成圆面包，隧蜂要多次外出去采集花
粉。必需之材料采集齐备之后，隧蜂便用大颚尖掺
和搅拌，再用爪子将和好的面团制成小丸。如果小
飞蝇把卵产在做小丸的材料上，经这么一番揉捏，
那肯定是完蛋了。

所以，小飞蝇的卵将是产在做好的面包上面
的。因为面包的制作是在地下完成的，吃白食者就
必须进入隧蜂的洞宅之中。小飞蝇贼胆包天，果真
钻下去了，即使隧蜂身在洞中也全然不顾。失主
要么是胆小怕事，要么是愚蠢的宽容，竟然任窃贼

自行其是。

小飞蝇悉心窥探，私闯民宅的目的并不是想损人利己，不劳而获。它自己就可以在花朵上找到吃的，而且并不费事，比这么去偷去抢要省劲儿得多。我在想，它跑到隧蜂洞中也就是想简单地品尝一下食物，知道一下食物的质量如何，仅此而已。它的宏大的、唯一的要事就是建立自己的家庭。它窃取财富并非为了自己，而是为了自己的后代。

我们把花粉面包挖出来看看。我们将会发现这些花粉面包经常是被糟蹋成碎末状，白白地浪费了，散落在储藏室地板上的黄色粉末里。我们会看见有两三条尖嘴蛆虫蠕动着，那是双翅目昆虫的后代。有时与蛆虫在一起的还有真正的主人——隧蜂的幼虫，但却因吃不饱而孱弱不堪。蛆虫尽管不虐待隧蜂幼虫，但却抢食了

后者最好的食物。隧蜂幼虫可怜兮兮，食不果腹，身体每况愈下，很快便一命呜呼了。其尸体变成了微小颗粒，与剩下的食物混在一起，成了蛆虫的口中之物。

可隧蜂妈妈在孩子遭难之时在干什么呢？它随时都有空去看看自己的宝宝的。它只要探头进洞，便可清楚地知晓孩子们的惨状。圆面包糟蹋一地，蛆虫在里面钻来钻去，稍看一眼就全清楚是怎么回事了。它非把窃贼子孙弄个肚破肠流不可！用大颚把它们咬碎，扔出洞外，简直是轻而易举的事。可是愚蠢的妈妈竟然没有想到这么做，反而任由鸠占鹊巢者逍遥法外。

随后，隧蜂妈妈干的事更愚蠢。成蛹期来到之后，隧蜂妈妈竟然像封堵其他各室一样把被洗劫一空的储藏室用泥盖封堵严实。这最后的壁垒对于正在变形期的隧蜂幼虫来说是绝妙的防护措施，但是当小飞蝇来过之后，你这么一堵，那可是荒唐透顶了。隧蜂妈妈对这种荒唐之举却毫不犹豫，这纯粹是本能使然，它竟然还把这个空房给贴上封条。我之所以说是空房，是因为狡猾的蛆虫吃光了食物之后，立即抽身潜逃了，仿佛预见到日后的小飞蝇会遇到一道无法逾越的屏障似的。在隧蜂妈妈封门之前，它们就已经离开了储藏室。

吃白食者既卑鄙狡诈，又小心谨慎。所有的蛆虫都会放弃那些黏土小屋，因为这些小屋一旦堵上，它们就会被葬身其间。黏土小屋的内壁有波状防水涂层，以防返潮，小飞蝇的幼虫表皮很敏感娇嫩，似乎对这种小屋备感舒适，是其理想的栖身之地，然而蛆虫却并不喜欢。它们担心一旦变成小飞蝇，却被困在其中，所以便匆匆离去，分散在升降井附近。

我挖到的小飞蝇确实都在小屋外面，从未在小屋里面见到过它们。我发现它们一个一个都挤在黏土里的一个窄小的窝内，那是它们还是蛆虫时移居到此后营建的。来年春天，出土期来临时，成虫只需从碎土中挤出去就能到达地面了，这一点儿也不困难。

吃白食者的这种迫不得已的搬迁还有另一个十分重要的原因。7月里，隧蜂要第二次生育。而双翅目的小飞蝇则只生育一次，其后代此时尚处于蛹的状态，只等来年变为成虫。采蜜的隧蜂妈妈又开始在家乡小镇忙着采蜜。

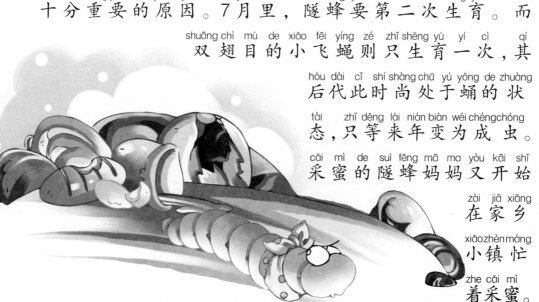

它直接利用春天建筑的竖井和小屋，这可大大节约了时间！精心构筑的竖井房舍全都完好如初，只需稍加修缮便可交付使用。

如果生就喜欢干净的隧蜂在打扫屋子时发现一只蝇蛹，会怎么样呢？它会把这个碍事的玩意儿当做建筑废料似的给处理掉。它会把这玩意儿用大颚夹起，也许把它夹碎，搬到洞外，扔进废物堆中。蝇蛹被扔到洞外，任随风吹日晒，必死无疑。

我很钦佩蛆虫明智的预见，不求一时之欢快，而谋未来的安然无恙。有两个危险在威胁着它：一是被堵在死牢中，即使变成飞蝇也无法飞出去；二是在隧蜂修缮宅子后清扫垃圾时把它一块儿扔到洞外，任风吹雨打，抛尸野外。为了逃避这双重灾难，在屋门封堵之前，在7月里隧蜂清扫洞宅之前，它便先行逃离险境。

我们现在来看一看吃白食者后来的情况。在

整个6月里,当隧蜂休闲的时候,我对我那昆虫众多的昆虫小镇进行了全面地搜索,总共有五十来个洞穴。地下发生的惨案没有一件逃过我的眼睛。我们一共四个人,用手把洞里挖出的土过筛,让土从手指缝中慢慢地筛下去。一个人检查完了,另一个人再重新检查一遍,然后第三个人、第四个人再进行两次复检。检查的结果令人心酸。

我们竟然没有发现一只隧蜂的虫蛹。

隧蜂密集于此的街区的居民全部丧生,被双翅目昆虫取而代之。后者呈蛹状,多得无以计数,我把它们收集起来,以便观察其进化过程。

昆虫的生活季节结束了,原先的蛆虫已经在蛹壳内缩小,变硬,而那些棕红色的圆筒却保持静止不动状态。它们是一些具有潜在生命力的种子。7月

的似火骄阳无

法把它们从沉

睡中烤醒。

在这个隧蜂

第二代出生期的月份中，好像上帝颁发了一道休战

圣谕：吃白食者，停工休整，隧蜂和平地劳作。如果

敌对行动接二连三，夏天同春天时一样大开杀戒，

那么受害太深的隧蜂也许就要灭种了。第二代隧蜂有

这么长一段休养生息期，生态的平衡也就得以保持了。

4月里，当斑纹隧蜂在围墙内的小径上飞来

飞去，寻找一个理想地点挖洞建巢时，吃白食者

也在忙着化蛹成虫。啊！迫害者与受迫害者的

历法是多么的精确，多么的令人难以置信

呀！隧蜂开始建巢之时，小飞蝇也已准备就

绪，它那以饥饿之法消灭对方的故伎又重新开始了。

如果这只是一个孤立的情况，我们就不用去注

意它了。多一只隧蜂少一只隧蜂对生态平衡并不

重要。可是，不然！以各种各样的方式进行杀戮抢

掠已经在芸芸众生中横行无度了。从最低等的

生物到最高等的生物，凡是生产者都受到非生产者的盘剥。以其特殊地位本应超然于这些灾难之外的人类本身，却是这类弱肉强食的残忍表现的最佳诠释者。人在心中想："做生意就是弄别人的钱。"正如小飞蝇心里所想："干活就是弄隧蜂的蜜。"为了更好地抢掠，人类创造了战争这种大规模屠杀和以绞刑这种小型屠杀为荣的艺术。

人们每个星期日在村中小教堂里唱诵的那个崇高的梦想："荣耀归于至高无上的上帝，和平归于凡世人间的善良百姓！"我们将永远也看不到它会实现。如果战争关系到的只是人类本身，那么未来也许还会为我们保存和平，因为那些慷慨大度的人在致力于和平。但是，这灾祸在动物界也极其肆虐，而动物是冥顽不化的，是永远不会讲道理的。既然这种灾祸是普遍现象，那也许就是无法治愈的绝症了。未来的生活令人不寒而栗，将会如同今日之生活一样，是一场永无休止的屠杀。

于是，人们便挖空心思想象出来一个巨人，能把各个星球把玩于股掌之中。他是无坚不摧的力量的化身，他也是正义和权利的代表。他知晓我们在打仗，在杀戮，在放火，野蛮人在获得胜利；他知晓我们拥有炸药、炮弹、鱼雷艇、装甲车以及各种各样的高级杀人武器；他还知晓包括草民百姓在内的因贪婪而引起的可怕的竞争。那么，这位正义者，这位强有力的巨人，如果他用拇指按住地球的话，他会犹豫着不把地球按碎吗？

他不会犹豫的……但他会让事物顺其自然地发展下去的。他心中也许会想："古代的信仰是有道理的。地球是一个长了虫的核桃，被邪恶这只蛀虫在啃咬。这是一种野蛮的雏形，是朝着更加宽容的命运发展的一个艰难阶段。我们顺其自然吧，因为秩序和正义总是排在最后的。"

jīn bù jiǎ de hūn lǐ
金步甲的婚礼

zhòng suǒ zhōu zhī   jīn bù jiǎ shì máo chóng de tiān dí   suǒ yǐ wú kuì yú
众所周知，金步甲是毛虫的天敌，所以无愧于

tā nà yuán dīng de chēng hào   tā shì cài yuán hé huā tán
它那园丁的称号。它是菜园和花坛

jǐng tì de tián yě wèi shì   rú guǒ shuō
警惕的田野卫士。如果说

wǒ de yán jiū zài zhè fāng miàn bù néng wèi tā
我的研究在这方面不能为它

nà jiǔ fù shèng míng de měi yù zēng tiān diǎn
那久负盛名的美誉增添点

shén me de huà   nà zhì shǎo wǒ kě yǐ cóng
什么的话，那至少我可以从

xià miàn de jiè shào zhōng xiàng dà jiā zhǎn shì zhè
下面的介绍中向大家展示这

zhǒng kūn chóng de shàng wèi wéi rén suǒ zhī de yí
种昆虫的尚未为人所知的一

miàn   tā shì gè xiōng hěn de tūn shí zhě   shì
面。它是个凶狠的吞食者，是

suǒ yǒu lì bù jí tā de kūn chóng de è mó
所有力不及它的昆虫的恶魔，

dàn tā yě huì cǎn zāo miè dǐng zhī zāi   shì
但它也会惨遭灭顶之灾。是

shéi bǎ tā chī diào de ne   shì tā zì jǐ yǐ
谁把它吃掉的呢？是它自己以

jí qí tā xǔ duō kūn chóng
及其他许多昆虫。

yǒu yì tiān   wǒ zài wǒ jiā mén qián de
有一天，我在我家门前的

梧桐树下看见一只金步甲慌忙地爬过。朝圣者是受人欢迎的，它将使笼中居民增强团结。我把它抓住后，发现它的鞘翅末端受到了损伤。是争风吃醋留下的伤痕吗？我看不出有任何这方面的迹象。要紧的是它可不能伤得很厉害。我仔细地查验一番，看不见什么伤残，可以大加利用，便把它放进玻璃屋中，与25只常住居民为伴。

第二天，我去查看这个新寄宿者，它死了。头天夜里，同室居民攻击了它，那残缺的鞘翅没能护好肚腹，被对方给掏空了。破腹手术干净利落，没有伤及一点肢体。爪子、脑袋、胸部，全部完好无损，只是肚子被大开了膛，内脏被掏个精光。我眼前所见的是一副金色贝壳架，由双鞘翅合拢护着。对照一下被掏空软体组织的牡蛎，也没有它这么干净。

这种结果颇令我惊诧，因为我一向很注意查看，不让笼子里缺少吃食。蜗牛、鳃角金龟、螳螂、蚯蚓、毛虫以及其他可口的菜肴，我是换着花样地放进笼中，菜量充足有余。我的那些金步甲把一个盔甲受损、容易攻击的同胞给吞吃掉，是无法以饥饿所致作为借口的。

它们中间是否约定俗成，伤者必须被杀死，其要变质的内脏必须掏空？昆虫之间是没有什么怜悯可言的。面对一个绝望挣扎的受伤者，同类中没有谁会驻足不前，没有谁会试图前去帮它一把。在食肉者之间事情可能变得更加悲惨。有时候，一些过往者会奔向伤残者。是为了安慰它吗？绝对不是，它们是为了去品尝它的味道，而且，如果它们觉得其味鲜美，则会把它吞吃掉，以彻底解除它的痛苦。

当时，有可能是那只鞘翅受损的金步甲暴露了它受伤的地方，同伴们受到了诱惑，视这个受伤的同胞为一只可以开膛破肚的猎物。但是，假如先前并没有谁受伤，那它们之间是否会相互尊重呢?从种种迹象来看，一开始，相互间的关系还是相安无事的。吃食时，金步甲们之间也从未开过战，顶多只不过是相互从嘴中夺食而已。在木板下躲着睡午觉，而且睡得很长，也没见有过打斗。我那二十五只金步甲把身子半埋在凉爽的土中，安静地在消食，打盹儿，彼此相距不远，各睡各的小坑中。如果我把遮阴板拿掉，它们会立刻惊醒，纷纷四下逃窜，不时地相互碰撞，但却并不干仗。

平静祥和的气氛很浓，似乎会永远这么持续下去，可是,6月，天刚开始热时，我查看时发现有一只金步甲死了。它没有被肢解，同金色贝壳一模一样,

如同刚才被吞食的那只伤残者的样子，使人想到一只被掏干净的牡蛎。我仔细查看了残骸，除了腹部开了个大洞，其他地方完好无损。由此可见，当其他的金步甲在掏空它时，那只受伤的金步甲是处于正常的状态的。

不几天，又有一只金步甲被害，同先前死的一样，护甲全都完好无损。把死者腹部朝下放好，它似乎好好儿的；而让它背冲下的话，它便是一只空壳，壳内没有一点肉了。稍后不久，又发现一具残骸，然后是一只又一只，越来越多，以至笼中居民迅速减少。如果继续这么残杀下去的话，那我的笼子里很快就什么也没有了。

我的金步甲们是因年老体衰自然死亡，幸存者们瓜分死者尸体呢，还是牺牲好端端的人以减少人口呢？想弄个水落石出并非易事，因为开膛破肚的事是在夜间进行的。但是，我因时刻警惕着，终于在大白天撞见过两次这种大开膛。

将近六月中旬，我亲眼看见一只雌金步甲在折腾一只雄金步甲。后者体形稍小，一看便知是只雄的。手术开始了。雌性攻击者微微掀起雄金步甲的鞘翅末端，从背后咬住受害者的肚腹末端。它拼命地又拽又咬。受害者精力充沛，但却并不反抗，也不翻转身来。它只是尽力在往相反的方向挣扎，以摆脱攻击者那可怕的齿钩，只见它被攻击者拖得忽而进忽而退的，未见其他任何抵抗。搏斗持续了一刻钟。几只过路的金步甲突然而至，停下脚步，好像在想："马上该我上场了。"最后，那只雄金步甲使出浑身力气挣脱开来，逃之夭夭。可以肯定，如果它没能挣脱掉的话，那它肯定就被那只凶残的雌金步甲开了膛了。

几天过后，我又看到一个相似的场面，但结局却是完美的。仍旧是一只雌性金步甲从背后咬一只雄性金步甲。被咬者没做什么抵抗，只是徒劳地在挣扎，以求摆脱。最后，皮开肉绽，伤口扩大，内脏被悍妇拽出吞食。那悍妇把头扎进其同伴的肚子里，把它掏成个空壳。可怜的受害者爪子一阵颤动，表明已小命休矣。刽子手并未因此罢休，继续在尽可能地往腹部深深掏挖。死者剩下的只是合抱成小吊篮状的鞘翅和仍旧连在一起的上半身，其他一无所剩。被掏得干干净净的空壳便撇在原地。

金步甲们大概就是这样死去的，而且死的总是雄性，我在笼子里不时地看见它们的残骸。幸存者大概也是这般死法。从6月中旬到8月1日，开始时的25个居民骤减至5只雌性金步甲了。20只雄性全都被开膛破肚，掏个干干净净。被谁杀死的？看样子是雌金步甲所为。

首先，我有幸亲眼所见，可以为证。我两次在大白天看见雌金步甲把雄的在鞘翅下开膛后吃掉，或至少试图开膛而未遂。至于其他的残杀，如果说我没有亲眼目睹的话，我却有一个非常有力的证据。大家刚才全都看见了：被抓住的雄金步甲没有反抗，没有进行自卫，而只是拼命地挣扎，逃跑。

如果这只是日常所见的对手之间的寻常打斗，那么被攻击者显然会转过身来的，因为它完全有可能这么做。它只要身子一转，便可回敬攻击者，以牙还牙。它身强力壮，可以搏斗，定能占到上风，可这傻瓜却任凭对手肆无忌惮地咬自己的屁股。似乎是一种难以压制的厌恶在阻止它转守为攻，也去咬一咬正在咬自己的雌金步甲。

这种宽厚令人想起朗格多克蝎，每当婚礼结束，雄蝎便任由其新娘吞食而不去动用自己的武器——那根能致伤其恶妇的毒螫针。这种宽容也让我回想起那个雌螳螂的情人，即使有时被咬剩一截了，仍不遗余力地在继续自己那未竟之业，终于被一口一口地吃掉而未做任何的反抗。这就是婚俗使然，雄性对此不得有任何怨言。

我喂养在笼子里的金步甲中的雄性，一个一个地被开膛破肚，一个不剩，这也是在告诉我们那同样的习性。它们是已经对交尾感到满足的雌性伴侣的牺牲品。从4月至8月的四个月里，每天都有雌雄配对，有时是浅尝辄止，有的时候，而且比较经常的是有效地结合。对于这些火辣辣的性格来说，这绝对是没有终结的。

金步甲在情爱方面是快捷利索的。在众目睽睽之下，无须酝酿感情，一只过路的雄金步甲便向一眼见到的雌金步甲扑上去。雌金步甲被紧紧搂住，微微昂起头来，以示赞同，而在其上的雄金步甲便用触角尖端抽打对方的颈。迅即就交配完毕，双方立即分开，各自跑去吃蜗牛，然后又各自另觅新欢，重结良缘，只要有雄金步甲可资利用即可。对

于金步甲来说，生活的真谛即在于此。

在我养的金步甲园地里，男女比例失调，5只雌的对20只雄的。但这并不要紧，没有什么争风吃醋的拼搏。雄性平和地占用、滥交遇上的雌性。有了这种忍让精神，早一天晚一天，机会多的是，经过多次相遇相试，每个雄性都能泄掉自己的欲火。

我本想让雌雄比例趋于合理的，但纯属偶然而非有意才造成这种比例失调的。初春时节，我在附近石头下捕捉遇上的所有的金步甲，不问是公是母，而且仅从外部特征去看也挺难辨出雌与雄来。后来，在笼子里喂养之后，我知道了，雌性明显地要比雄性大一些。所以说，我那金步甲园地里的雌雄比例严重失调实属偶然所致。可以相信，在自然条件下，不

94

会是雄性比雌性多这么多的。

再说，在自由状态之中，不会见到这么多金步甲聚在一块石头下面的。金步甲几乎是孤独生活着的，很少看见两三只聚在同一个住所里。我的笼子里一下子聚着这么多实属例外，而且还没有导致纷争。玻璃屋中场地挺大，足够它们爬来爬去，自由自在，悠哉游哉。谁想独处就可以独处，谁想找伴儿马上就能找到伴儿。

再说，囚禁生活似乎并不怎么让它们感觉厌烦，从它们不停地大吃大嚼，每日一再地寻欢交尾就可以看得出来。在野地里倒是自由，但却没这么受用，也许还不如在笼子里，因为野地里食物没有笼子里那么丰盛。在舒适方面，囚徒们也是身处正常状

态，完全满足了它们的日常习俗。

只不过在这里同类相遇的机会比在野地里多。这也许对雌性来说是个绝妙的机会，它们可以迫害它们不再想要的雄性，可以咬雄性的屁股，掏光它们的内脏。这种猎杀自己的旧爱的情况因相互毗邻而居而加剧了，但是肯定没有因此就花样翻新，因为这种习性并非是一时兴起所造就的。

交尾一完，在野外遇见一只雄性的雌金步甲便把对方当成猎物，将它嚼碎，以结束婚姻。我在野地里翻动过不少石头，可从未见到过这种场景，但这并没有关系，我笼子里的情况就足以让我对此深信不疑了。金步甲的世界是多么的残忍呀，一个悍妇一旦卵巢中有了孕，无须情人时便把后者吃掉！

96

生殖法规拿雄性当成什么，竟然如此这般地残害它们？

这类相爱之后同类相食现象是不是很普遍？目前来说，我已经知晓有三类昆虫是这么一种情况：螳螂、朗格多克蝎和金步甲。在飞蝗这个种族中，情况没有这么残忍，因为被吃掉的雄性是死了的而非活着的。白额雌螽斯很喜欢一点一点地嚼其已死的雄性的大腿。绿蚱蜢也是这种情况。

在一定程度上，这里面有个饮食习惯的问题：白额螽斯和绿蚱蜢首先都是食肉的。遇见一个同类尸体，雌虫总是多少要吃上几口的，不管它是不是其昨夜情郎。猎物就是猎物，没有什么情郎不情郎的。可是素食者又是怎么回事呢？接近产卵期时，雌性螽

斯竟冲着它那尚欢蹦乱跳的雄性伴侣下手，剖开后者的肚子，大吃一通，直至吃饱为止。一向温情可爱的雌性蟋蟀性格会突然暴戾，会把刚刚还给它弹奏动情小夜曲的雄性蟋蟀打翻在地，撕扯其翅膀，打碎它的小提琴，甚至还对小提琴手咬上几口。因此，这种雌性在交尾之后对雄性大开杀戒的情况是很常见的，特别是在食肉昆虫中间。这种残忍的习性到底是什么原因促使的呢？如果条件允许的话，我一定要把它弄个一清二楚。

意大利蟋蟀族群

我们这儿见不着面包铺和乡间灶屋间的常客的那种家蟋蟀。不过，如果说在我们村子里壁炉石板下面的缝隙里没有蟋蟀的叫声的话，那么作为补偿，夏夜的田野里却响着美妙的歌声，那是北方所不大听到的。春季里，阳光灿烂时，田间地头的蟋蟀便唱起了交响曲；夏日里，在夜深人静时，则有树蟋蟀，或称意大利蟋蟀在鸣唱。

一个是昼间蟋蟀，一个是夜间蟋蟀，它们平分那美妙的季节。在前者停止歌唱期间，后者便开始唱起小夜曲来。

意大利蟋蟀没有黑色外套，而

且体形也无一般蟋蟀那种粗笨的特点。恰恰相反，它细长，瘦弱、苍白、几乎全白，正适合夜间活动的习惯要求。

你捏在手里都生怕把它捏碎。它在各种小灌木上，在高高的草丛中跳来蹦去，很少待在地上生活。从7月一直到10月，它们日落时分开始歌唱，一直唱到大半夜，是一场悦耳动听的音乐会。

这儿的人们都非常熟悉这种歌声，因为无论多小的荆棘丛中都有这种交响乐的演唱者。它们甚至还在粮仓里歌唱，那是因为运草料时把它们夹带了来，使它们迷了路，无法返回。这种苍白的蟋蟀习俗神秘，所以谁也不确切地知晓是什么蟋蟀唱出的这么好听的小夜曲的，人们误以为是普通的蟋蟀唱的，可是这个季节普通蟋蟀尚小，还不会歌唱。

意大利蟋蟀的歌声是"格里—依—依"这种缓慢而柔

和的声音，唱起来还微微发颤，使歌声更加悦耳动听。你一听就会猜想到它的振动膜是极其细薄而宽大。

如果它待在叶丛中无人惊扰的话，它的声音就不会变化，但稍有动静，这位歌手便立即改用腹部发声。你刚才听见它一直在你面前歌唱，可突然间你听见的是它在那边20步开外的地方继续鸣唱，但音量减弱了，你还以为是距离使然。

你跑过去，但什么也没发现，声音仍旧是从原来的地方发出来的。还不仅仅如此。

这一次，声音是从左边传来的，也许是从右边或者是从后面传来的。你完全给弄糊涂了，无法凭借自己的听觉去辨别蟋蟀到底是在何处鸣叫的。你必须提着提灯，而且要极有耐心，还得小心翼翼，不弄出任

何响动，才
能在灯光的
帮助下捉到这个歌唱
家。我就如此这般地
捉到了几只，放进笼中，从而多少了解了一点点迷
惑我们听觉的演唱家的情况。

两片鞘翅都是由一片宽大的半透明干膜构成，
薄如一片白色洋葱片，能够整个儿地震颤。鞘翅
状如圆的一端，上端略小。

圆的这一端按一条粗重纵翅脉折成直角，再以
鞘翅凸边沿体侧往下，在蟋蟀休息时，包住其身体。
右鞘翅覆盖在左鞘翅上。右鞘翅内侧靠翅根
处有一块胼胝，辐射出五条翅脉，两条冲上，两条
往下，而第五条几乎呈横向，略微泛红，是基本部
件，也就是琴弓，这从其上横向的细锯齿一看便
知。鞘翅的其他地方还有几条不太粗的翅脉，功用

在于绷紧薄膜，但不是摩擦器的组成部件。

左鞘翅，或者说下鞘翅，结构与右鞘翅相同，但区别在于琴弓、胼胝以及由胼胝辐射出去的翅脉位于上部表面。此外，我们还可以看到左右两把琴弓呈斜向交叉。当蟋蟀放声歌唱时，左右鞘翅高高地竖起，宛如一张薄纱船帆，只是内边缘相互接触。这时候的左右两把琴弓是彼此斜着咬合着的，它们相互摩擦便使得绷得紧紧的薄膜产生强烈的震颤。

根据每把琴弓是在另一个鞘翅的胼胝（其本身也是粗糙的）上还是在四条光滑的辐射翅脉中的一条上摩擦，蟋蟀发出的声音则有所不同。这也许部分地解释了为什么胆小的蟋蟀怀疑遇到危险时会用声音迷惑我们，让人觉得声音发自前后左右，难以

捉摸。zhuō mō

声音的强弱、响shēng yīn de qiáng ruò xiǎng

亮、沉闷变化，使人产生距离liàng chén mèn biàn huà shǐ rén chǎnshēng jù lí

上的错觉，这是蟋蟀这个腹语者的高超艺术shang de cuò jué zhè shì xī shuài zhè ge fù yǔ zhě de gāo chāo yì shù

手段，而这种错觉的产生还有另一个原因，这很容shǒu duàn ér zhè zhǒng cuò jué de chǎn shēng hái yǒu lìng yí gè yuán yīn zhè hěn róng

易发现的。声音响亮时，鞘翅是完全竖起的，声音沉yì fā xiàn de shēng yīn xiǎngliàng shí qiào chì shì wán quán shù qǐ de shēng yīn chén

闷时，鞘翅则多少有点下垂。当鞘翅处于下垂状态mèn shí qiào chì zé duō shǎo yǒu diǎn xià chuí dāng qiào chì chǔ yú xià chuí zhuàng tài

时，其外侧边缘不同程度地压在蟋蟀柔软的侧部，shí qí wài cè biān yuán bù tóng chéng dù de yā zài xī shuài róu ruǎn de cè bù

从而随之减小了振动部分的面积，声音也就随之变小。cóng ér suí zhī jiǎn xiǎo le zhèndòng bù fen de miàn jī shēng yīn yě jiù suí zhī biàn xiǎo

用手指触摸敲响的玻璃杯，它便声音发闷，仿yòng shǒu zhǐ chù mō qiāoxiǎng de bō li bēi tā biàn shēng yīn fā mēn fǎng

佛是从远处传来的。灰白色蟋蟀深谙这个声学奥fú shì cóng yuǎn chù chuán lái de huī bái sè xī shuài shēn ān zhè ge shēng xué ào

秘。当有人去捉它时，它便把振动片的边缘压在柔mì dāng yǒu rén qù zhuō tā shí tā biàn bǎ zhèndòng piàn de biān yuán yā zài róu

软的肚腹上，使人不知它身在何处。ruǎn de dù fù shang shǐ rén bù zhī tā shēn zài hé chù

我们的乐器有制振器、消音器，意大利蟋蟀的wǒ men de yuè qì yǒu zhì zhèn qì xiāo yīn qì yì dà lì xī shuài de

104

制振器、消音器可与之媲美，而且结构简单，功效奇佳，胜我们一筹。田间地头的蟋蟀及其同类昆虫也使用这种消音办法，把鞘翅边缘压在肚腹或高或低处，以减轻振动，但是它们中没有谁能像意大利蟋蟀的本事那么大，能产生如此神奇的效果。

我们的脚步声一靠近，哪怕是极轻极轻的，蟋蟀就会用这种办法对付我们，使我们产生错觉。

除此之外，它的声音还非常纯正，带有柔和的颤音。仲夏夜，万籁俱寂时，还有哪种昆虫的鸣叫胜过意大利蟋蟀的？那么优美，那么清脆。我不知有多少次，席地躺在迷迭香花丛中躲着，偷听那美妙迷人的音乐演唱会！

我的花园里夜间歌唱的蟋蟀非常多。每一簇红花岩蔷薇都有其合唱队员；每一束薰衣草中也都有自己的乐队。那枝繁叶茂

的野草莓树丛中，那树丛中都成了蟋蟀们的演唱场地。这个小天地中的小生物们在以自己那优美清亮的声音在彼此探问，相互应答，或者可以说是对别的歌手无动于衷，只是自顾自地在抒发自己的情怀。高处，我头顶上方，天鹅星座在银河中伸长它那巨大的十字架；下方，就在我的四周，蟋蟀在演唱交响曲，此起彼伏，抑扬顿挫。

唱出自己欢乐心声的这些小小的生命使我忘记了群星璀璨。天空中的那些眼睛平静冷漠地眨巴着，在看着我们，可我们对它们却一无所知。科学告诉我们它们离我们有多远，它们的速度有多快，它们的体积有多大，它们的质量有多重，还告诉我们它们不计其数，令我们惊愕不已，但是这并未使我们有一丁点儿的激动。为什么？因为科学缺少了那个巨大的秘密，即生命的秘密。天上有什么？太阳在温暖着什么？理性告诉我们说，有一些类似于我们的世界，有一些生命在其间进行无穷变化的大地。这种宇宙观可谓宏大无比，但却只是一种观念而已，并没有确凿的根据。

确凿的事实才是至高无上的，是看得见摸得着的。所谓"可能"，甚至"极其可能"，都不是"明显"，并不是显而易见，无懈可击的。可我的蟋蟀们却是我的伴侣，它们使我感到了生命的颤动，而生命正是我们的灵魂。正因为如此，我才身子倚着迷迭香树篱，只是心不在焉地随意向天鹅座瞥上一眼，我的全部心思都集中在你们那小夜曲上了。

一小块注入了生命的能感受苦与乐的蛋白质，远远超过庞大的无生命的原料。

勇敢的探索者——蜂螨

说到蜂螨，大家也许感到有些陌生，但是螨虫大家应该还是听说过吧？蜂螨就是寄生在蜜蜂身上的螨虫。

蜂螨在发育完整的时期内，也只不过有一两天的寿命而已。它的整个生命过程，都是在掘地蜂的家门口度过的。在这短暂的生命里，最重要的是繁殖子孙后代，其他什么也没有了。

虽然这样短命，蜂螨也具备了其他动物所有的消化器官，但它们究竟要不要吃食物，到底吃什么样的食物，这个谜让我们等会儿再解开。

我经过长期的观察才发现蜂螨之所以寄生在蜜蜂身上，是想要蜜蜂亲自把它们带到蜂巢里去。它们之所以这样做自然有它们的道理，过一会儿你就会明白了。

蜂螨将卵产在蜂巢里面的门口，积成一堆。幼虫孵化出来后，也不会跑散开来，而是混乱地挤在原地。

当蜜蜂经过蜂巢门口的时候，无论它是要出远门，还是刚从远方归来，睡在门口等待已久的蜂螨的幼虫便马上爬到蜜蜂身上去。

它们爬进蜜蜂的绒毛里，抓得十分紧。无论这只蜜蜂要飞多远，它们一点也不担心自己会跌落到地上。

当你发现这种情形时，你一定会感叹它们是一种喜欢冒险的

109

小家伙。

的确，在蜜蜂飞行时，这些未来的寄生虫得死死地抓住主人的毛才行。

看，蜜蜂在花叶中穿梭飞行，速度多快呀！还有，蜜蜂回家的时候，还会同地面摩擦。这些对小蜂螨来说都是很危险的。

不过，你也别小看了这些弱小的东西，它们还真有两下子。

看看它们身上那两根大钉子，它们合拢起来，便可以紧紧夹住蜜蜂身上的毛，比最精密的人造钳子还要精密得多呢！

蜂螨还有一件法宝，这就是它们身上的黏液

了。这种黏液能帮助蜂螨更加牢固地伏在蜜蜂的身上。而且，在远行时，这些小家伙脚上的尖针和硬毛起作用了，它们都是用来插入蜜蜂的软毛里，从而使蜂螨本身更加稳固。

经过一段艰难的旅程之后，蜂螨终于到达了目的地——蜜蜂的巢。虽然是到了目的地，危险还是包围着这些小东西。

蜂螨的最终目标就是待在蜜蜂的卵上。要知道蜜蜂的卵是被安放在蜂蜜之中的。蜂螨必须避免与蜂蜜接触，否则的话，后果真是不堪设想，蜂螨会被蜂蜜闷死的。

不过这个问题也不难解决，蜂螨有的是办法。悄悄的，这个聪明的小虫趁着蜜蜂还在产卵的空当儿，从它身上一下子

滑落到了一个卵上。这样一来，目的就达到了。蜂

螨从此便和卵一起做伴，共同浮在

蜜上了。

由于蜜蜂产下的卵

太小了，不能同时乘载

超过一个的蜂螨。因

此，我们在一个蜂

室里面只能看到

一个蜂螨。

起初，卵

还是完好无

损的。但是，

不久以后，蜂螨幼虫的破坏工作便开始了。在这

片无人看管的领域，蜂螨简直可以胡作非为。

蜂螨首先会破坏蜜蜂的卵。它这样做，可以为

自己在蜜海中造一条船，同时又可以享受丰盛的

美餐——蜜蜂的卵可是它们最可口的食物了。

享受完这一顿美餐后，蜂螨的幼虫茁壮成

长，成为一只甲虫，结束了它的幼虫生涯。

自我保护法

关于昆虫装死这个问题，我们第一个要观察了解的，是胆大凶残的黑步甲。我为了探究它是怎样装死，曾三次把它从不高的地方掉落到桌子上。只见它仰面朝天，一动不动，俨然已经死去。

它折拢爪子，让爪子挨靠腹部；它展开触角交叉成十字；它张开它那钳子似的肢爪。它这静止不动的姿势保持了五十来分钟。它的跗骨、触须、触角全都纹丝不动。这就是它处于完全彻底的毫无生气活力的状态时的假死。这只表面上死去的虫子不久又复活了，它的跗骨微微颤抖，前爪跗骨先抖起来，触须和触角缓缓摆来摆去。这是完全苏醒的征兆。

现在它的爪子不断地挥摆，这只昆虫的狭窄的腰部身子略微弯成肘形。它使劲把身体支撑在头和背上，它转过身子来。啊！它现在碎步小跑起来要逃走啦！又一次实验开始，这只精神抖擞的复活了的虫子第二次仰天躺下，静止不动。它把死亡的姿势延长得比以前更久。接着我又做了第三次、第四次实验，结果是它静止不动的时间越来越长。

下面让我们从第一次到第四次举出个具体数字，持续时间分别为：17分钟，20分钟，25分钟，32分钟和50分钟。死亡姿势的持续时间从一刻钟到差不多整整一个小时。这些现象告诉我们，一般说来，黑步甲总是把它那毫无生气的姿势延长得一次比一次久。

这是个适应问题吗？这是企图最终把过于顽强的敌人弄得疲备不堪，以至认为它是真的死了，而不再侵犯它这具死尸，从而逃脱一次危及生命的大灾难吗？但也有一种可能，黑步甲被我们烦扰得气急败坏乱了方寸，从而舍弃装死的策略，倒地仰卧后翻过身来就逃之夭夭。黑步甲这只狡诈的昆虫，这个好愚弄哄骗人的家伙，企图欺骗它的攻击者，以此作为自卫的手段。

随着敌人对它一再的攻击，它就显得更加顽强，一而再再而三地对敌人进行欺骗。当它认为过于狡诈、耍花招全都是白费力气时，便舍弃装死的绝招而逃之夭夭。现在，我们准备用一种机智的调查

115

方法来欺骗这个骗子。

接受实验的

黑步甲躺在桌子

上，它感觉身

体下面有个坚

硬的物体，因

此无法向下挖掘。

因为无法挖掘避难所，于是它做

出死亡的姿势，躺在那儿一声不吭。达一小时之久。

我一直期待着它会有什么新的招数。然而，到

现在我才恍然大悟，无论我把这只黑步甲放在木头

上、玻璃上、沙土上或腐殖土上，它全都不改变它

的策略——装死。

它对自己身体下面的物体的性质从不关心，毫

不在乎。这一特点向我们的疑虑稍稍开了一扇门。

接着发生的事则把这扇门大大打开。这只接受实验

的黑步甲躺在我的桌子上。它那炯炯有神的眼睛望

着我、盯着我、观察我。面对这个庞然大物——人，这

只昆虫会有什么样的视觉印象呢？

我不得不承认，这只昆虫不仅在注视我，而且还认出了我，认出我这个庞然大物就是它的迫害者，因为只要我在那儿，它就一动不动。

我走到十步开外大厅的另一端，隐藏起来，学它那样一动不动。这只虫子该站起来了吧？可是，没有。我的种种预测措施全都是枉费心机。

这只昆虫在我这个庞然大物离开后，仍旧一动不动。也许它灵敏的嗅觉告诉它，我还在那儿。行，让我们继续把实验往下做。我用一个钟形罩将它盖住，离开大厅，走到园子里去。这只昆虫的周围再也不会有什么令它惊惶不安的骚动了。在这万赖俱寂之时会发生什么呢？40分钟后我再去看这只虫子，我发现它仍像先前那样朝天躺着，一动不动。

对不同对象经多次实验表明，这只

昆虫做出死亡姿势，并不是身处险境的昆虫的欺骗行为。显然，我的实验应到别处去查找原因。

这个戴盔披甲，这个好战的海盗，这个屠杀皮麦里虫，屠杀金龟子的刽子手，这个天不怕地不怕的凶残的家伙，为什么一有风吹草动就装起死来了呢？对此，我越来越表示怀疑，促使我对它进一步地研究。后来，我们接触到叫光滑黑步甲的昆虫，与前面提到的大头黑步甲相比较，虽说它们形态相同，穿的煤黑色服装相同，披挂的盔甲相同，天生的抢劫习性相同，但是，光滑黑步甲却显得体弱、身窄，而且从不仰卧装死。这么一比，更是使人费解，这里面又有什么名堂呢？让我们来试验一下危险对大头黑步甲产生的影响吧。但是把什么敌人放在一动不动的黑步甲面前呢？我可不知道什么是它真正的敌人。

结果，苍蝇给了我指点。严夏酷暑的时候，令人讨厌的苍蝇，最喜欢对双翅目昆虫寻衅侵犯，用它的吻管探测这些昆虫。苍蝇刚用爪子触碰黑步甲，黑步甲的跗骨就颤抖起来，仿佛受到电流的震动。如果这只苍蝇只是路过此地，事态就不会进一步发展。但是如果苍蝇不肯离去，特别是坚持留在黑步甲那张被唾液和吐出的食物的汁液弄湿的嘴巴附近不肯离去，受到威胁的黑步甲马上就抖动两腿，转过身来，逃之夭夭。

于是，我们去找另一个力气和身材令人生畏的天牛。这是黑步甲在海滩上从未见过的庞然大物。天牛在我手中麦秸的引导下，把爪子搁在躺着的黑

步甲身上。黑步甲的爪子马上颤抖起来。

如果天牛同它的接触延长、加位或转变为进犯，假死的黑步甲起身便逃。

后来，我用硬物碰撞仰卧着黑步甲的桌子的脚。虽然震动极其微弱，但是，每撞一下，黑步甲的趾肢节就弯曲一下，微抖片刻。

最后，让我们来谈谈光的影响。到目前为止，试验对象只是在半明半暗的房间里，在直接的日照之外接受试验。

如果我把它移到光线强烈的地方，那会怎么样呢？结果，在太阳的直接照射下，仰躺着的黑步甲立刻翻过身来拔腿就跑。

我们似乎可以得出这样的结论，黑步甲在危急时刻摇晃身体，站立起来，拔腿就跑，压根儿不是什么狡诈伎俩，它那仰躺着一动不动的姿态，不是装出来的，而是真实的暂时麻木的昏沉状态。

huì dǎ ban de bèi guǎnchóng
会打扮的被管虫

春天来临的时候，你只要留心，就能在很多地方发现一种很奇怪的小东西，那就是一个个滚动的柴束。

你一定很诧异，左看右看，明明只是一个柴束，枯枝或枯茎的一节，它怎么像有了生命一样能自己行动，有时还会一跳一跳地向前走？这究竟是怎么回事？

这一点的确非常稀奇，不过如果你靠近些仔细地看一看，很快就可以解开这个谜了。

原来，在这些会动的柴束中，藏着一条非常漂亮的毛虫。它的身上装饰着白色和黑色的条

纹。柴束滚动时其实是它正在寻找自己的食物呢！

这种毛虫胆子很小，它总是穿着树枝做成的奇怪的衣服，完全把自己的身体遮挡起来，只将头和六只小脚的前半部分露在外面。只要有一点小的惊动，它就会马上蜷缩在这层壳里，一动不动。也正是因为这层奇特的外衣，我们把这种毛虫叫做被管虫。

这层外衣替被管虫抵御了外界的风雨和寒冷，也保护它不受敌人的侵袭，它既是被管虫的外套也是它活动的家。

别看被管虫小小的，一点儿也不起眼，它们可是特别爱美的哟。被管虫喜欢给自己裁剪衣服，它们真的算是了不起的裁缝。小被管虫遇到什么就使用什么，不论是树叶、草、枯枝、纸，甚至是石头，它都能将它们缝制成漂漂亮亮的衣服。

也许正好应了一句话：爱美之心人皆有之。对于被管虫来说，把自己打扮得漂漂亮亮的是十分必要的。假如先将它关两天，然后再换去它的衣服，那么释放了的被管虫一定会先给自己做件衣服，然后，才会安心觅食。

尽管被管虫很爱美，可是一旦被管虫要当妈妈了，它也就顾不了那么多了。

被管虫妈妈的形状真是难看到了极点。当你刚刚见到它的时候，甚至会惊吓得叫起来。

的确，被管虫妈妈太丑了，它从蛹里爬出来，变成蛾，可它没有翅膀，光秃秃的、圆溜溜的，比毛虫还要难看。

可是，就是这外表看起来丑陋

不堪的妈妈，实际上却有着非常伟大的精神。为了自己的宝宝，它牺牲的可不止是自己漂亮的外貌。

母被管虫把卵产在自己的蛹壳里，它为了尽力保护好自己的宝宝，就把自己身上仅有的衣服——一层柔软的绒毛塞在门口，这也是宝宝出生后用来做衣服的材料。

不仅如此，被管虫妈妈们为了下一代，真是死而后已。它在为孩子们准备妥当后安然死去。不过，即使在死后，它还仍旧保护着自己的子女。死去的被管虫妈妈将自己的皮也留给了子孙后代。妈妈最后留下的这张皮可是孩子们成长中少不了的保护伞。

我想，用"可怜天下父母心"来形容被管虫妈妈应该很贴切吧！

自然环保员

有许多昆虫看起来让人很不舒服，其实它们的工作是很有价值的。尽管它们没有因此而得到公正地对待，但它们仍旧默默地工作着。

当你在路边发现一只死老鼠时，走近些你就会看见它身上聚集着很多蚂蚁、甲虫和苍蝇。你身上肯定会起鸡皮疙瘩，捂着鼻子跑开。你是不是觉得这些昆虫都挺肮脏可怕、让人恶心？

事实并不是你想象的那样，这些昆虫这样忙碌，是在为这个世界做清洁工作呢。

你一定见过碧蝇吧？也就是我们通常所说的

"绿头苍蝇"。它们有着漂亮

的金绿色的外套，发着金

属般的光彩，它们还有一

对红色的眼睛。

当它们闻到

很远的地方有死

动物的气味时，

它们会马上赶过去产

卵。几天后，你会发

现那动物的尸体变成

了液体，里面有几千

条尖头小虫子。这实在让人觉得反胃。

不过，除此之外，还有什么别的更好更容易的

方法消灭腐烂发臭的动物的尸体，让它们分解后被

泥土吸收，从而再为别的生物提供养料呢？

如果尸体没经过碧蝇的处理，它也会渐渐风

干，但这样的话，要经过很长一段时间才会消失，而

且会传染疾病。

其实，能做这种工作的，除了碧蝇之外，还有灰肉蝇和另外一种大的肉蝇。它们的幼虫都有一种惊人的本领，能很快地把固体物质转变成流质，然后喝光。

你常常可以看到这些蝇类在玻璃窗上、垃圾堆里嗡嗡地飞着。千万不要让它停在你要吃的东西上面，要不然的话，你的食物也会沾满细菌。

不过，你可不必像对待蚊子一样，毫不客气地去拍死它们，只要将它们赶出去就行了。

要知道在房间外面，它们可是大自然的功臣。它们以最快的速度，让死尸待过的地方产生新的生命，使我们的土壤更肥沃，从而形成新的一轮良性循环。

记住，它们是大自然勤勤恳恳的环卫工人。

昆虫嗅觉之谜

在物理学的领域内，现在大家都在谈论琴线。这种射线能穿透不透明的物体，为我们把看不见的东西摄下来。这是个多么奇妙的发明创造啊。然

而，当我们更好地了解事物

产生的原因，并且用我们的

记忆弥补我们感官的缺陷，

因而能够同野兽、昆虫的感

觉器官的敏锐性比试一下

的时候，在未来令人惊奇

的事物面前，这种奇妙的

发明创造却又多么

微不足道啊。

动物感觉器官的

敏锐性告诉我们，我

们确实缺少信息情报，我们那感受性强的设备也显得效能平平。在我们所掌握的科学知识以外，还存在着许多令我们目瞪口呆、惊讶不已的事物。一条可怜兮兮的毛虫——松树上成串爬行的毛虫，把自己的背劈开成气象气窗，这些气窗能预测未来的天气和猛烈的风暴。

猛禽是难以想象的老视患者，但它却能从云端高处看见藏在地上的田鼠。瞎眼的蝙蝠能引导自己畅通无阻地穿越帕兰扎尼。信鸽远离故乡几百里，但它能穿越自己从未经过的广阔无垠的土地，万无一失地飞回它的鸽笼。一只不起眼的石蜂能轻轻拍动翅膀，飞越陌生的地区和长距离的路程，安然无恙地返回自己的蜂巢。狗的主人大都知道，狗凭借它们的嗅觉寻找块菰的功绩。

这种动物行走时鼻子朝天，有时用它的爪子抓刨土地。看似轻松自在，实际上它是全神贯注专心致志地在履行自己的职责。

它仿佛对主人说："好啦，亲爱的主人，狗是信得过的，块菰就在那儿。"

它说的是真话。主人在它指出的地点搜寻。如果牧羊人的铲子或牧棒弄错了地方，狗就用鼻子嗅一下抓刨的洞底，让棒子回到正确的方向上来。别担心会遇到石子堆，别担心会遇到根。尽管障碍重重，块菰埋得很深，也一定会出现。狗的鼻子是不会撒谎的。据说这就是嗅觉的敏感性。如果人们这样说是指动物的鼻腔，指的是感觉器官，我倒很希望情况就是这样。

但是，被感觉到的东西总是一种通俗意义上的气味吗？是一种像我们的易感受的那种气味吗？我有理由对此表示怀疑。让我们来叙述一下事实吧。我多想同一条精通业务的狗打交道，当然这条狗其貌不扬。它沉着、冷静、粗俗不雅、毛发蓬乱，但它却是干活儿的艺匠。

这条狗的主人是村子里有名的块菰挖寻人。当他确信我的意图并不是窃取他的秘密，而是用笔把地下植物画下来记下来时，于是他准许我同他的狗结伴。我们约定，这条狗愿意干什么就干什么，凡有所发现，必须对狗加以奖赏。采集地下植物标本的工作进行后，硕果累累。这条狗用它敏锐的鼻子不加区别地为我收集到粗大的和细小的，新鲜的和腐烂的，

无味的和有味的，芳香的和恶臭的东西。

我对收集到的东西惊讶不已。其中还有生在地下的蘑菇。

香味，多种多样的香味，在嗅觉问题上具有重要的性质。然而，只有真正的块菰才具有美食家钟爱的香味。

如果说我们所理解的气味是这条狗的独一无二的向导，那么这条狗又是怎样行事的呢？它被一种普通的散发物如真菌散发出来的香味告知泥土中隐藏的东西吗？于是，一个令人费解的问题出现了。我向狗学习后，有了这样一个信念：能够提示地下块菰的鼻子，有个比我们根据自己的嗅觉能力想象出的气味更好的东西。

这个向导大概还能感觉到另一种气味。对我们来说，由于我们没有它的资料，因此神秘莫测、难

以摸透。块菰挖寻人尽管长期干他那一行，尽管他

寻找的块菰发出香味，但他却无法嗅出和发现这种

块根，虽说它埋在地下并不很深。他不得不求助狗

和猪的帮助。

据我所知，昆虫在这方面还要强于狗和猫这两

个动物，它们都具有完善的嗅觉。比如假绒毛蝇，它

在墙脚下或在篱笆和田野里找到块菰。但是双翅类

昆虫撒普罗米兹蝇怎么知道它

的块菰在地下呢？如果深入到

地下去寻找，对这种昆虫来说

是办不到的。

所以，撒普罗米兹蝇必须

把它的卵安放在地面上，安放

在覆盖块菰的准确地点，因为

它生出的小虫如果缺少粮食，

它们就会死去。因此，对于挖

寻块菰的苍蝇来说，信息是靠

母亲的嗅觉提供

的。这种蝇具有

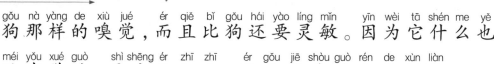

狗那样的嗅觉，而且比狗还要灵敏。因为它什么也没有学过，是生而知之，而狗接受过人的训练。

撒普罗米兹蝇数量极其稀少，且飞离迅速，若是捕捉，得花好大的力气。所以我放弃了它，好在蘑菇的发现者双翅类昆虫金龟子，可以补偿这个缺陷。金龟子腹部苍白而柔软光滑，身子圆圆滚滚，个儿像樱桃那样大。它正规的大名叫包尔波赛虫。

它的腹尖同鞘翅边缘摩擦，发出一种像鸟儿的母亲衔着一口食物回巢时，小鸟发出的啁啾声。雄金龟子头上长着雅致的角。这是西班牙蜣螂的角的仿制品。

我受这只角的骗，把这种昆虫当成食粪虫行帮的成员。当我给它端来含粪食物时，它竟连碰都不碰一下。"呸！让我吃牛粪，把我当成什么啦？"这位美食家要

求的可是别的东西呀！它要求的不是我们宴席上的块菰，而是与块菰类似的东西。

这种习性没有经过长期耐心地调查，我不了解。

在塞里昂丘陵的南坡，离村子不远，有个夹杂着几行柏树的小海松林。秋雨过后，球果植物的朋友蘑菇，特别是美味可口的乳菇，满山遍野，如雨后春笋。乳菇被碰伤的部位变成绿色，流出血泪般的液汁。在晚秋温和的日子里，散步的人们在这儿什么都能找到。荆棘筑的旧喜鹊窝，在附近橡树上啄食橡栗鼓起嗉囊后打斗的松鸦中翘起小尾巴突然从一丛迷迭香逃跑的兔子，积粮过冬把挖出来的泥土堆在家门口的粪金龟。

还有摸上去软软的沙土，沙土处是挖掘地道和修建木棚的好处所。木棚上铺满绿油油的青苔，上面还生长着随风摆动的芦苇和美味可口的土豆点心。随着伊奥利亚活泼的乐声，

rén men zài cǐ měi měi de pǐn cháng zhe xiāng pēn pēn de diǎn xīn   yōu měi de yuè
人们在此美美地品尝着香喷喷的点心，优美的乐

shēng zài sōng lín jiān suí fēng piāo dàng
声在松林间随风飘荡。

shì de   duì hái
是的，对孩

zi men lái shuō
子们来说，

zhè shì zhēn zhèng
这是真正

de tiān táng
的天堂。

zhì yú wǒ   yīn
至于我，因

cháng nián lěi yuè
长年累月

zhào guǎn liǎng zhǒng kūn chóng   què méi
照管两种昆虫，却没

yǒu liǎo jiě dào tā men jiā tíng de yǐn sī
有了解到它们家庭的隐私。

qí zhōng yì zhǒng shì mǐ nuò duō dì fēi   zhè zhǒng kūn chóng de xióng chóng qián
其中一种是米诺多蒂菲。这种昆虫的雄虫前

xiōng dài zhe sān gēn zhǐ xiàng qián fāng de cháng máo   gǔ dài zuò jiā chēng tā wéi cháng
胸带着三根指向前方的长矛，古代作家称它为长

qiāng duì shì bīng   yīn wèi tā men yě káng zhe mǎ qí dùn cháng qiāng duì de sān háng
枪队士兵，因为它们也扛着马其顿长枪队的三行

cháng máo   zhè shì yì zhǒng zhǎng de zhuàng shí de chóng zi   zhǐ yào tiān qì shāo
长矛。这是一种长得壮实的虫子。只要天气稍

shāo zhuǎn qíng biàn nuǎn   tā jiù zài yè mù jiàng lín shí fēn xiǎo xīn yì yì de zǒu chū
稍转晴变暖，它就在夜幕降临时分小心翼翼地走出

jiā mén   zài jiā mén kǒu fù jìn zhǎo mián yáng de fèn dàn hé bèi tài yáng shài gān le
家门，在家门口附近找绵羊的粪蛋和被太阳晒干了

de lǎo yóu gǎn lǎn   zài sōng lín zhōng wǒ zhào guǎn de dì èr zhǒng kūn chóng shì bāo
的老油橄榄。在松林中我照管的第二种昆虫是包

ěr bō sài chóng   jí qián miàn suǒ shuō de jīn guī zǐ   tā de dòng xué fēn sàn zài
尔波赛虫，即前面所说的金龟子。它的洞穴分散在

gè chù   suī rán tóng mǐ nuò duō dì fēi de dòng xué luàn qī bā zāo de hùn zá zài
各处，虽然同米诺多蒂菲的洞穴乱七八糟地混杂在

一起，却很容易辨认出来。

米诺多蒂菲的洞顶上有个庞大的鼹鼠丘似的土堆。土堆渐渐升高成为有指头那么长的囱柱。

这些土堆装载着被这个昆虫挖洞后堆到外面的泥屑。每当这只昆虫在自己家中挖井穴或者享用它的财富时，孔口就关闭起来。金龟子的住宅大门敞开，仅仅围着一个沙土环形垫子。这个住所不深，垂直下伸到一块十分疏松的泥土里。

因此，如果注意首先向前挖掘一道壕沟，就容易查到这个住所。这整个洞穴从口子到底部呈半凸槽形。金龟子在黄昏的宁静中用碎步奔跑，吱吱喳喳，用自己的歌声激励自己。

它像狗寻找块菰那样勘探土地，了解地下藏着什么。它的嗅觉告诉它，它企求的东西被几寸厚的沙土覆盖着。它的挖掘往往百发百中。粮食能吃多久，它就多久足不出户。当什么都不剩时，它就迁居别处，寻找另一块大面包——蘑菇。这块面包将使一个新洞穴被抛弃。有多少个被吃掉的蘑菇就有多少个居所。

我在家里研究挖块菰的昆虫，自然要为这些虫子储备一些食品。而挖寻这些小隐花植物，金龟子就成了我的向导。就像块菰挖寻人需要他的狗做向导一样。金龟子用它那灵敏的嗅觉辨认出这些蘑菇准确的生长地点。几个小时内，在它的指引下，我挖到了一大把齿菌孢囊。这是我第一次获得这些蘑菇。

当天晚上我就进行试验。用一只宽大的瓦钵盛满筛过了的新鲜沙土。我在沙土上挖了六个深

两厘米、相互间隔适当的井坑。

每个井坑的底部放一只齿菌孢囊。每个孢囊上方插一根纤细的麦秸，以显示它的准确位置。最后，这六个洞穴全用沙土填平。

而后放出那些被囚禁的包尔波赛虫，把它们放到瓦钵里平整的地面上。第二天，沙土被笔直地揭去，每个洞穴的底部都有一只包尔波赛虫，它们正津津有味地美食它的块菰——齿菌孢囊。齿菌孢囊具有强烈的气味，难道这气味的信息能传给消耗者的嗅觉吗？如果说能，那只是对狗和包尔波赛虫而言，因为这两个才能狭隘的专家的嗅觉只能闻出齿菌孢囊的气味，对于其他的东西，它们的嗅觉是无能为力的。

在一次研究中，我把一只死鼹鼠摆在阳光下，因尸体的膨胀和腐败的臭味，很快导致西绪福斯虫、皮蠹、鞘翅目昆虫成千上万蜂拥而至。因为这儿的确存在我们的语言称之为气味的东西。我的朋友布尔（它生前是条忠心耿耿的狗），有很多怪癖，其中一个就是：如果它在路上遇到一具干燥的鼹鼠的尸体，它会惬意地在这只被路人踩成木乃伊的尸体上，从鼻尖擦到尾巴，让自己的身体摩擦这只死动物的身体。

似乎这具尸体是它的麝香小袋囊和它的小香水瓶子。它把身体弄"香"以后便站立起来，抖抖身子，然后离开。

它对这种低廉的化妆品似乎非常满意。请读者诸君别毁谤它，别议论它——大千世界什么兴趣和口味都有。

气味、普通的气味、影响我们嗅觉的气味，是由

有气味的物体发散的分子

组成的，这一点已经得到

认可。

　　有气味的物质把它的气味

传给空气，同时在空气中分解扩散开

来。这正像糖在把甜味传给水

的同时，又在水中分解扩散一样。

　　强音压住弱音，阻碍弱

音被人听见。强光遮没

弱光，它们是性质相同的

波。但是，雷鸣不能使最

细的光束变得暗淡，正如

太阳令人炫目的灿烂不能窒息最微弱的声音一样。

　　光和声性质迥异、互不影响。可是一粒胭脂

红却可染红一湖水，一场雾却可填满广阔无垠的

天空。世界上所有的气味因嗅觉的差异，各种动物

的敏感程度均不相同。你认为臭的东西，它却认为

香；你认为香的东西，它却认为臭。真可谓大千世

界，无奇不有。

关于幼虫免疫力的实验

我们对蝎子的秘密掌握得实在太少，以至一些意想不到的情况常常会使问题变得复杂化。对生命进行的研究，使我们得到了许多意外的发现；一次次结果相同的实验，几乎让我们得到了一个定律；而这时一些出乎意料的事，又把我们引上一条与先前相反的新路，这新路上的那个疑点，即是我们获得真知的最后一站。如今金匠花金龟的幼虫就使我做了一次转向。昆虫学家在研究昆虫时，都

是一些施刑者，因为他们没有别的办法让昆虫开口说话。

他们惯用青蛙、豚鼠，甚至狗。而对于我这个简陋的实验室来说，金匠花金龟的幼虫就足够了。寒冷的深秋季节到来了，这并未使蝎子的活动减缓下来。生活在暖湿的腐叶堆里的金匠花金龟幼虫胖乎乎的，仍然脊背柔软、灵活、精力充沛。我将幼虫和蝎子放在一起。蝎子没有立即进攻，幼虫拼命逃窜，它仰面朝天，沿着围墙爬。蝎子一动不动地看着它爬，当幼虫沿着圆形的竞技场又绕回到它身边时，蝎子闪身让它过去。因为这条幼虫不是它喜欢的猎物，更不是危险的对手。如果仅仅为了杀戮而杀戮，蝎子可没这种怪癖。我骚扰它们，用草去撩拨它们，想让它们交手。可那条幼虫压根儿就不想打仗，它是个怯懦的家伙，危险时刻就缩成一团。

蝎子未识破我这挑衅者的用心，而将怨气泄在了它的邻居的身上。蝎子挥起毒针，刺向对方，真是百发百中，因为幼虫的伤口在流血。这条幼虫不再受到骚扰，便舒展开身体逃走了。它用背行走，走得如平时一样快，就像没受伤一样。被放在沃土上的幼虫迅速地钻进土里。两小时后我去拜访它，它和接受实验前一样精力旺盛；第二天，它的身体依然健康。为什么它没有反应呢？如果是成虫早就一命呜呼，而这条幼虫却不可战胜。既然伤口流血，就说明毒针扎得很深，但是很可能毒针没有往伤口里注毒液，因而这个刺伤是良性的。那么，我们再来做一次实验吧。仍然是这条虫子再一次被另一只蝎子刺伤，结果和第一次一样。伤员很自如地用背部爬行，钻到那堆腐叶下面，又开始静静地吃东西了。毒液在它身上没有反应。这种免疫力不会是一个例外，在金匠花金龟中没有特权者，其他同类应该也有这种抵抗力。我挖出了12条金匠花金龟的幼虫，然后让它们被蝎子刺伤。当毒针扎进身体时，它们都微微地扭动了一下。如果嘴能够得着伤口，它们就会用嘴去舔伤口上的血，很快它们就恢复了平静。腿朝天爬行着，钻进沃土中。接着四天我都去探望它们，毒液好像并没有将它们置于死地。第二年6月，那12条被可怕的毒针刺伤过的幼虫结茧了，它们将在里面蜕变。这个奇怪的结果，使我回想起一个科学家向我们讲述的有关刺猬的故事。

他说："一只母刺猬正在给孩子喂奶。

我把一条毒蛇扔进

xiāng zi
箱子

lǐ。 cì wei mǎ
里。刺猬马

shàng jiù gǎn jué dào le，tā shì kào
上就感觉到了，它是靠

xiù jué ér bú shì kào shì jué biàn
嗅觉而不是靠视觉辨

bié wù tǐ de fāng xiàng de。 tā qǐ shēn， háo bú
别物体的方向的。它起身，毫不

jù pà de xiàng dú shé zǒu qù， yòng bí zi qù wén
惧怕地向毒蛇走去，用鼻子去闻

dú shé， cóng wěi ba wén dào tóu bù， tè bié zǐ xì de wén le zuǐ ba。 dú
毒蛇，从尾巴闻到头部，特别仔细地闻了嘴巴。毒

shé sī sī de jiào zhe， zài cì wei de bí zi hé zuǐ ba shang yǎo le hǎo jǐ
蛇嘶嘶地叫着，在刺猬的鼻子和嘴巴上咬了好几

kǒu， hǎo xiàng shì wèi le cháo xiào yí gè ruò xiǎo de jìn gōng zhě。 cì wei zhǐ shì
口，好像是为了嘲笑一个弱小的进攻者。刺猬只是

tiǎn le tiǎn zì jǐ de shāng kǒu， yòu jì xù jìn xíng chá kàn， jié guǒ yòu ái le
舔了舔自己的伤口，又继续进行查看，结果又挨了

yǎo， dàn zhè yí cì shì yǎo zài shé tou shang。 zuì hòu， cì wei zhuā zhù dú shé
咬，但这一次是咬在舌头上。最后，刺猬抓住毒蛇

de tóu， bǎ tā jiáo suì， lián dú yá hé dú xiàn yě gěi yǎo suì le， chī le bàn
的头，把它嚼碎，连毒牙和毒腺也给咬碎了，吃了半

tiáo shé hòu， yòu huí dào hái zi de shēn biān tǎng xià， gěi tā men wèi nǎi。 wǎn
条蛇后，又回到孩子的身边躺下，给它们喂奶。晚

shang chī diào shèng xià de bàn tiáo shé。 tā de shēn tǐ bìng wèi yīn cǐ ér bù rú
上吃掉剩下的半条蛇。它的身体并未因此而不如

hái zi men jiàn kāng， shèn zhì lián shāng kǒu yě méi yǒu zhǒng
孩子们健康，甚至连伤口也没有肿。"

liǎng tiān hòu， zhè zhī cì wei yòu hé lìng yì tiáo shé zhǎn kāi le yì cháng
"两天后，这只刺猬又和另一条蛇展开了一场

xīn de dòu zhēng。 cì wei zǒu dào dú shé shēn biān qù wén tā。 dú shé zhāng kāi
新的斗争。刺猬走到毒蛇身边去闻它。毒蛇张开

嘴，抬起毒牙向刺猬扑去，咬住了它的上唇，好一会才松口，刺猬抖动一下身体挣脱出来。

尽管它鼻子上被咬了六下，其他地方被咬了二十多下，可它还是抓住了毒蛇的头，尽管毒蛇的身体在扭动，刺猬还是慢慢地把它吃了下去。这一次刺猬母子仍旧没有出现病态反应。"据说小亚西亚蓬特国国王米特里达特为了预防敌人下毒，让自己养成吃各种毒酒的习惯。渐渐的，他的胃便适应了这些毒物了。

另一位米特里达特也是这样获得免疫力的吗？它难道不是天生就有这种本领吗？当它第一次嚼食毒蛇脑袋时是否已经具有了抗体呢？

金匠花金龟告诉我们它具有免疫力。如果昆虫类中某种昆虫应该预

防蝎子刺伤，那也不该是金匠花金龟。它和蝎子出没的场所不同，几乎见不着面。再说金匠花金龟的幼虫并没有毒瘾，我放在蝎子面前的那些幼虫，恐怕是第一批见到蝎子的金匠花金龟幼虫。

尽管它们没有任何防备，但却有抵抗蝎毒的能力。专门消灭毒蛇的刺猬具有从事这种职业所必需的特长，这倒是符合逻辑的说法。同样，生活在地中海沿岸最美丽的鸟——蜂虎的肚子里装满了活的胡蜂却安然无恙；杜鹃的胃里布满了毛虫的毛却不会痒，因为它们所从事的职业要求如此。

我想弄一些肥胖的、被扎破了肚皮也不动声色的虫子。我终于如愿以偿。我从橄榄树腐烂变软的老根上得到了葡萄根柱犀金龟的幼虫。这种虫有拇指那么粗，活像一根小肥肠。

胖乎乎的虫子被蝎子刺伤后，钻进了

大口瓶里腐朽的橄榄木块中，它们对

遭到的意外并不在意，照样吃得香睡

得稳。八个月后变得膘肥体壮。它

给自己准备了一个窝打算在里面蜕

变，它经历了可怕的实验却安然无恙。要

想得到预期成功，还得依靠其他虫子的配

合，在我家门口有两棵桂樱，一年四季青翠

碧绿。

可是一只天牛把它们毁

了，这是一种寄住在英国山

楂树上的小天牛，氰酸香

味不但没使它们讨厌，反

而还吸引着它们。这种带

角的漂亮昆虫之所以

知道这种树的味道，

是因为它经常光顾有点苦味

的山楂树的伞房花序。桂樱

那么讨它喜欢，它把家也安在了那儿。为了挽救我的树得用斧子帮忙了。

我把被损害得最严重的茎砍掉，从一截劈开的树干里，得到了12只天牛幼虫。现在轮到我跟它算账了，它破坏了我绿色的摇篮，我要让它死于蝎子之手。天牛成虫很快就死去了，可是幼虫却活了下来。大口瓶里有砍下的木头碎块，住在里面的幼虫优哉游哉地啃着木头。只要粮食不断，这些被刺伤的幼虫就能度过幼虫期。

橡树上的天牛也是如此。带角的成虫死了，幼虫却不在乎蝎子的毒针。普通鳃角金龟也是一样。这些专吃植物、大腹便便的虫子所具有的免疫力，是不是和它们所吃的食物有关呢？这些食客储存能量的脂肪层是否能中和毒液呢？我们去请教一些瘦型鞘翅类食肉亚目吧！我选了鞘翅类食肉亚目中最强壮的高丽亚绥斯黑步甲。当我在墙脚下发现这个黑色斗士时，它正好发现了一只蜗牛。

这个生来就好战的强盗把鞘翅合成了不可攻破的护胸甲，我把这副甲胄的后面削去了一些，以便使蝎子的毒针能从这个唯一可以插入的地方插进它的上腹部。这儿又重演了金步甲的悲惨结局。被刺伤的昆虫先是拼命地逃，接着突然停了下来，腿部变得僵直，身体也僵直起来。它抬起尾部，低下头，靠大颚支撑着，那姿势好像栽了跟头似的，一阵痉挛将它击跨。

它倒下了，但很快又站起来，腿绷得直直的，踮着脚尖。

看它那样子，关节好像是由铁丝架控制的，活像一个靠生硬的弹簧伸缩控制的木偶。痉

挛再度发生后，它又摔倒了，20分钟后它才死去。那么，它的幼虫呢？它们不像有些昆虫有一层起保护作用的脂肪。受到蝎子毒针轻微伤害后的两个星期，它们钻进土里，挖了一间斗室在那里蜕变。在鞘翅目昆虫之后，蝴蝶告诉我们，某一昆虫在昆虫系列中所占的地位也与免疫力无关。

第一个考察对象是豹蠹蛾，它的幼虫是各种树木的灾星。我抓到一只正在把产卵管插进一棵丁香树皮的裂纹里准备产卵的豹蠹蛾，它穿着非常漂亮的蓝点白底的衣裳。

我把它交给了蝎子。事情拖得并不久，漂亮的豹蠹蛾被刺伤后很快进入了弥留状态，它没有胡乱地挣扎，死得很平静。那么它的幼虫呢？它们被刺伤后还和以前一样健康。

用蚕作实验则更加便利。我让蝎子刺伤了14
条蚕，蚕的皮肤细腻，身体丰满，因此每次被毒针
刺一下就会大量出血。那滴在桌上的液体看上去
有些像琥珀。重新被放到桑叶上的伤蚕几乎是迫
不及待地吃起桑叶来，胃口和平时一样好，十天后
所有的蚕都结了茧，茧的形状和厚度都很标准。

事实证明，蚕对蝎子的毒针有抵抗力。至于蚕
蛾本身，它们死了，只是像大孔雀蝶那样死得较慢倒
是真的，但最终还是死了。毒针对它们总是致命的。

大孔雀蝶的青绿色
的大幼虫为我们提
供了明确的结果，被刺出
血的幼虫重新回到它的
牧场——扁桃树上后，完成了
发育过程，然后结出了一个周
正精巧的茧。

双翅目昆虫和膜翅目昆虫值
得研究。蝴蝶和鞘翅目昆虫，往往
得经过蜕变变为成虫。但是它们

的体形很小，大多数受不了被镊子夹着放在蝎子的毒针下，它们那脆弱的幼虫，皮肤被刺破一点儿就可能会死去。我们还是去审讯那些大块头儿吧。

在那些大块头儿中有不同类别的直翅目昆虫：蚱蜢、灰蝗、白面螽斯、蝼蛄和螳螂。它们被蝎子刺伤后，全都会死去。然而这类昆虫在进入交尾仪式为标志的完全成熟期之前，要经过一个过渡期，这个时期的昆虫既不能算作真正的幼虫，又和成虫没有一点儿相似之处，这是一个低级阶段，是昆虫进入交配期前完成发育的阶段。

葡萄收获的季节，我们在葡萄藤上发现的灰蝗，还尚未长出网状翅膀和坚硬的鞘翅，只有退化成了短尾的原基。变成了成虫的蝼蛄长着宽大的翅膀，折叠起来的翅膀像一条细长的尾巴，围住了腹部的下端，而最初它只有不太雅观的小

翅膀，紧贴着脊背的上部。

在年轻的蚱蜢、螽斯和其他一些昆虫那儿，都能看到这种低级的特征。未来的具有飞行功能的宽大翅膀的胚芽，就蕴涵在这些小里小气的鞘套里。至于其他的昆虫，从一开始装束就基本上和成虫完全一样。直翅目昆虫随着年龄的增长而发育成熟，但不发生蜕变。

那么这些不完美的，翅膀发育不全的小昆虫能像真正的幼虫，如鳃角金龟幼虫和天牛幼虫，以及蛀犀金龟幼虫和蚕蛾幼虫那样，承受住蝎子的蜇伤吗？如果这些年轻的昆虫体内充满的液体相当于足够剂量的预防药，我们就该看到这些幼虫具有免疫力。事实并非如此。

就拿蝼蛄来说，不管是有翅膀的还是无翅膀的，也不管是年轻的还是年老的全都会死。

螳螂、蝗虫和蚱蜢也都一样，不管是

成熟的还是未成熟的，也全都会死。根据昆虫对蝎子的抵抗力，我们把昆虫分成两类：一类昆虫经历了真正的变形，整个机体随之发生变化；而另一类只发生一些次要的变化。第一类昆虫的幼虫有抵抗力，而成虫死了。第二类昆虫的幼虫和成虫都死了。

为什么会有这种差别？实验结果告诉我们受试者越是粗俗低贱，抵抗毒针的能力就越强。

狼蛛、圆网蛛和螳螂这些敏感性的昆虫，都会当场死亡；充满活力的金步甲、黑步甲像吃了中枢兴奋药那样立刻发生痉挛；热情的运粪工金龟子像患了舞蹈病似的乱奔乱跑。相反，笨重的蛀犀金龟和喜欢在蔷薇蕊里休眠的金匠花金龟忍受着痛苦，肢体微微抽搐了好几天才死。地位在它们之下的蝗科昆虫蝗虫是杰出的粗俗昆虫，更低等的有蜈蚣这种机体不全的低等

昆虫。很明显，毒液起作用的快慢取决于受刑者机体的敏感性。

我们来单独研究一下变形的高等昆虫。使用"变形"这个词是顾名思义，指形态的改变。

那么从幼虫到蛾，从生活在腐质土中的幼虫变成金匠花金龟，是否仅仅是形态的改变呢？

蝎子的毒汁告诉我们，其中还有更深刻，更奇妙的变化。变形昆虫的体内发生了一次深刻的变化，事实上物质成分始终没有变，但发生了溶融，从而使原子结构变得更精巧。昆虫变得神经质地颤抖，这是交配期的昆虫最重要的一个特征。坚硬的鞘翅、瓣胃、绒球、晃动的触角、步行的足、飞翔的翅膀，所有这些都很棒，但这一切又没有任何价值。蝎毒这种卓越的化学试剂能区别对幼虫和成虫的肉体，它对前者温和，对后者却是致命的。

这个奇怪的结果又引起了一个问题，这个问题对于主张注射血清，接种疫苗来减轻病毒的著名理论来说并不陌生。一条经历过完全变形的幼虫被蝎子刺伤了，自然会有人说它接种了疫苗，从这个意义上说，它已经感染了病毒，这种病毒在未来的条件下将致命，而在目前状态下不会产生严重后果。

接种者似乎对注射没什么反应，还可以继续吃东西，继续从事幼虫日常进行的工作。

然而这种毒却不可避免地以这样或那样的方式，对昆虫的血液和神经产生影响。它是否能阻止昆虫变形后产生易受损伤的特点呢？凭借从小养成的对毒性的适应力，成虫是否会有免疫力呢？它们能不能像米特里达特抵抗毒药那样抵抗蝎毒呢？

总之，经历过完全变形过程的昆虫，如果在幼虫时期被蝎子刺伤过，它们是否因此具有抵抗毒针的能力呢？这就是问题的所在。人们是那么迫切地希望得到肯定的答复，以至于一开始就回答：是的，成虫将会有抵抗力。不过，我们还是应该让实验来说话。我准备了四组昆虫，第一组由12只金匠花金龟幼虫组成，它们10月份被刺伤过，后来又重新接种，也就是说5月份又被刺伤一次。

第二组也是12只金匠花金龟幼虫，但它们只在5月份被刺伤过。四只大戟上的成天蛾蛹组成了第三组，它们是4月份被蝎子刺伤的毛虫变来的。

最后一组是蚕茧，这些茧是我前面提到过的被刺得血淋淋的蚕结出来的，变形完成后它们都得再次接受蝎子的手术。蚕蛾使我在急切地等待之后得到了答案。两三个星期后，蚕蛾扭动着身体在交配，虽然它们在幼虫期被刺伤过，可交配时的热情丝毫没有因此而降温。

我让它们接受考验，结果

所有被刺的蚕蛾两天后都死去了。预防接种并未改变结果，以前没接种过的和接种后的蚕蛾都会死。然而，这个结论下得未免有些草率。我还会得到更有力的证据，我对林天蛾抱有信心，对强壮的金匠花金龟更是充满了信心。

从理论上讲，在幼虫时期已经感染过病毒的林天蛾应该具有免疫力，可它还是保持着通常所具有的易受损害的特点，它被毒针刺伤后就立刻身亡，和幼年时没有接种的林天蛾完全一样。

也许是因为幼虫期和蚕蛾期先后两次刺伤时间的间隔太短，病毒疫苗还没有能够在机体中起到应有的作用；也许需要更长时间使疫苗在昆虫的机体中产生深刻的变化，使其产生抵抗力。金匠花金龟幼虫也许将消除这种不利因素。

有一组金匠花金龟的幼虫曾经被刺伤了两回，一次在10月，另一次在次年5月。成虫7月底破壳而出，从第一次受伤到现在已经过去了十个月，自第二次受伤到现在也有三个月了。现在成虫是否具有免疫力了呢？

根本没有。那12只幼虫期接受过初种和复种的金匠花金龟被蝎子刺伤后全死了，和静静地出生在腐叶堆里的同类死得一样快。12只仅在5月接种过一次的金匠花金龟也是死得一样迅速。

在这两组昆虫身上采用的方法，最初使我充满了信心，结果却遭到了惨败，我为此感到无地自容。

我又尝试了另一种方法，那就是输血法，类似于注射血清。对蝎子的毒液有抵抗力的金匠花金龟幼虫的血液，应该具有一些特殊的作用，正好抵消毒液的毒性。把幼虫的血输入成虫的体内，能否把幼虫的能量带入成虫的体内，使它完全免于中毒呢？我用针头扎破了金匠花金龟幼虫的皮肤，血大量地流出来，我将血集中在玻璃皿里，用一根直径很小、一头尖利的玻璃管当注射器。

我用嘴吸了一下就将血液吸入了玻璃管。我先用针尖在它的肚子上扎出一个眼，以便插入脆弱的注射器。然后我用嘴对着管子吹，把血液输入金匠花金龟的体内，主要是在腹部。金匠花金龟顺利地经受了手术。由于补充了一些幼虫的血，再加上伤势又不严重，它看起来非常健康。

这种治疗方法的效果又怎样呢？没有任何效果。我等了两天，以便让带免疫力的血液有充分的时间扩散并起作用。现在金匠花金龟面对着蝎子，蒙上您的脸吧，荒谬的生理学家，金匠花金龟同输血前一样，还是死了。

昆虫不是用调制化学剂的方法调配出来的。

老象虫之家

lǎo xiàngchóng zhī jiā

冬季，当昆虫蛰伏时，古币学的研究让我度过了一些美好的时光。我不无乐趣地反复琢磨古币那金属小圆块，那可是人们称之为历史的灾难的档案。在普罗旺斯的这片土地上，希腊人栽种了油橄榄树，拉丁人制定了法律。农民们在这片土地上翻耕时，却发现了这些几乎散落得到处都是的金属小圆块。他们把这些金属小圆块拿来给我，问我它们价值几何，但却从来不问我它们有多大的意义。

农民们发现的这些小圆块上的铭文跟他们有什么关系！

人们从前受苦受难，今天仍在受苦受难，将来还是受苦受难，对他们来说，这就是对历史的概括，其余的全是瞎扯淡，纯粹是闲散无事的人的消遣而已。我对过去的事物则无如此高的冷漠的达观态度。我用指甲尖刮擦小圆古币，小心翼翼地把上面的泥土弄干净，然后用放大镜仔细观察，试图解读上面的说明文字。

当我读懂了这青铜古币或银质古币上的说明时，我可真是心花怒放，喜形于色啊。我刚刚读了一页有关人类的记载，但不是从书本那个令人生疑的叙述者那儿读到的，而是从与人物和事实同时代的几乎是活生生的档案中读到的。这点银子被冲头冲压成扁平状，上面的说明文字标明VOOC，——VOCVNT，也就是维松，说明它是来自附近的那座小城维松的，博物学家普利尼有时就去那儿度假。

在维松，这位著名的博物学编纂者普利尼也许在主人的饭桌上品尝过莺，那是古罗马美食家们赞不绝口的美味，就是在今天，在普罗旺斯的美食家眼里，它也是大名鼎鼎的，被称作"后腱子肉"。

非常恼火的是，我的这点银子没有记录这些情况，这些情况可比一次大的战役更值得记忆。

这枚古币一面是头像，另一面是一匹奔马。整个古币非常粗糙，头像、奔马都刻得不像样子。

一个第一次用石块在墙壁新抹的灰浆上练习画画的孩子也不至于刻画得这么差劲的。不，那帮勇猛剽悍的粗人肯定不是艺术家。

来自弗凯亚的那些外国人要比他们花样多得多！这是马萨里亚人的一枚德拉克玛，该钱币正面是以弗所的黛安娜的头像，双颊丰

腮，圆胖，下唇厚突，额头扁塌，戴着一顶凤冠，头发浓密，披在颈后，如瀑布一般，耳垂上吊着耳坠，脖颈上戴着珍珠项链，肩头挎着一张弓。在叙利亚的女信众眼里，这个偶像就应该是这样一副装扮。

其实，这并不美。如果说这样很豪华气派的话，那倒还说得过去，不管怎么说，这总要比我们今天那帮风雅女子让驴子耳朵戴上什么玩意儿摆来荡去的要强得多。时尚真是一种奇怪异常的癖好，在丑化人和物方面真是花样繁多！商业神说道：做买卖就不顾什么美不美的，在美和利之间，做买卖讲的是个利字。

这枚德拉克玛的背面是一头爪抓地、张口大吼的雄狮。这种用某种猛兽来象征强大的未开化的行径并非自今日始，它仿佛是在说恶是力量的最高表现。老鹰、雄狮以及其他一些强徒恶兽经常被雕刻于钱币的反面。光现实中的还不够，还要凭空臆造出一些凶恶的怪兽来，比如半人半马的怪兽、凶龙、半马半鹰的带翅异兽、独角兽、双头鹰等什么的。

这些怪兽饰物的创造者们比用熊掌、鹰翅、插在头发上的豹牙来表示其英勇善战的印第安人更高明吗？这颇令人怀疑。

我们最近投入使用的银币背面的图像比上述可怕的怪兽要让人喜爱千百倍！我们今天的银币背面有一位播种女神，她在旭日东升时用灵巧的手在犁沟里播撒思想的良种。这种图像虽简朴但却崇高伟大，发人深省。

167

马赛的德拉克玛的长处就在于它那华美的浮雕。雕刻这枚古币头像轮廓的艺术家是位版画大师，但是他却缺乏灵气。双颊丰腴的黛安娜像个既放荡又凶蛮的悍妇。这是已沦为尼姆殖民地的沃尔西人的纳马萨特。奥古斯都及其朝臣阿格里帕的脸部侧面相对。

奥古斯都眉毛硬挺，脑袋扁平，鹰钩鼻子，让我感觉不出其威名显赫，尽管敦厚的诗人维吉尔说他是"成功造就的神"。如果奥古斯都的罪恶计划没有成功的话，奥古斯都神明也就成了凶徒屋大维了。他的朝臣阿格里帕倒让我更喜欢一些。他是一位伟大的摆弄石头的人，他以他那泥瓦工程、引水渠、修桥铺路让粗野的沃尔西人稍稍开化了一点。离我们村子不远，一条宽阔的大道从埃格河岸边起，笔直地前伸，逐渐往上爬去，越过塞里昂丘陵。这条大道漫长而单调乏味，但却在一座强大的古罗马要塞的保护之下，该要塞很久之后变成了著名的古堡。

这是阿格里帕修筑的大道之一段，它把马赛和维恩连接起来。这条具有两千年历史之久的宽阔纽带始终车水马龙，来往繁忙。我们在那儿已看不见古罗马军团的那些身着褐色战袍的步兵了；我们今天在那儿看见的是那些赶着羊群和不听话的小猪崽前往集市的农民。在我看来，这样反倒更好。

让我们把这枚满是铜绿的古币翻转过来。我们可以看见它的背面有"尼姆的移民地"的字样。文字说明的旁边有一条锁在一棵棕榈树上的鳄鱼，棕榈树上挂着一顶王冠。这是被移民地的"开国元勋们"征服埃及的一个象征。尼罗河的鳄鱼在这棵棕

169

桐树下咬牙切齿。它向我们讲述了酒色之徒安东尼；它跟我们叙述了克娄巴特尔的故事，说如果她是塌鼻子的话，本来是会把世界面貌改变的。

这只背有鳞片的爬行动物——这条鳄鱼引起的回忆，成为我们的一堂很绝妙的历史课。

这种金属古币学的高级课程多种多样而又不出我们村子附近一带，就这样长期延续着。但还另有一种古币学，更加高深但却花费不多，它用它的那些纪念章——化石向我们讲述生命的历程。这就是石头的古币学。我的窗户边缘这个古老岁月的知己独自在同我交谈一个消失了的世界。这是个地地道道的尸骨埋葬地，它的每一小块地方都留有逝去的生命的印迹。这堆石头已无生命。

海胆的尖头、鱼类的牙齿和脊椎、贝类的残壳、石珊瑚的碎片在此形成了一个墓葬群。对我家宅子的砾石逐一观察研究，便知这座宅子是一只圣骨箱、一个古代活物的旧衣堆。

人们在这儿开采建筑材料的那个岩石层，用它那坚硬的甲壳覆盖附近这座高原的大部分。不知从多少个世纪之前开始，也许自从阿格里帕在此为奥朗日剧院的阶梯和面墙让人切割大青石的那个时期起，采石工就在那儿挖掘了。铁镐每天都得从那儿挖出一些稀奇古怪的化石来。

最引人注目的是一些牙齿，它们外表粗糙，里面光滑，简直棒极了，珐琅质像新牙时一样地光亮。此外，也可能见得到一些很不错的化石，呈三角形，边缘为轧齿状花边，几乎与手掌般大小。

瞧这张牙像耙子似的嘴，而且牙齿排成数列，一层一层的，直达喉咙，好大的一张嘴呀！这嘴里被利齿咬住，撕碎的是什么东西呀！你只要在脑子里复制一下这台可怕的杀人机器，就会浑身发颤的。这个全副武装的凶神恶煞属于角鲨族。

古生物学称之为巨噬人鲨。看看今天那称之为海中霸王的鲨鱼，你就会有一个类似的概念了，正如看见侏儒你就知道巨人一样。在这同一块石头中，还有不少其他的角鲨化石，全都是满嘴利齿。你可以看到利齿如尖刀的尖额鲨，下颚长着弯曲带齿的爪哇顶重器的半锯鳐，嘴里满是弯曲锐利、一面凸一面凹的尖刀的鼠鲨，扁平牙齿上有发光锯齿的鳃鲨。

这座利齿武器库是古代杀戮的有力证明，犹如尼姆的鳄鱼、马赛的黛安娜、维松的奔马一样的有价值。这座武器库以其屠杀武器向我讲述着这种屠杀是如何在各个时代消灭泛滥成灾的生命的。

它还告诉我说："就在你对着一片石块思索的那个地方，从前曾是一湾海水，水中住满了凶狠的嗜血者和温驯平和的被吞食者。一个长长的海湾曾经一直占据着后来成为罗讷河谷的那个地方。就在离你家不远的地方，曾经是一番波涛汹涌的景象。"这儿海岸的悬崖峭壁确实保存完好，以至我在沉思默想时，会以为听见了隆隆的涛声。海胆、石蛏、海笋、住石蛤都在那儿的岩石上面留下了自己的印迹。

这是一些半圆形的凹窝，可以放进一只拳头；这是一些洞口狭窄的圆形巢室，隐居者在其中接受不断更新且满载着食物的水流。有时候，有古代居民住在其中，已经矿化，直至其条痕和小鳞片这样的脆弱的饰物都完整地保存着；而更经常的则是，其中的古代居民溶解了，不见了踪影，屋子里被已变硬了的细海泥钙核所填满。

在这个宁静的小海湾里，旋涡把形状各异、大

小不等的贝壳冲积在一起，并将它们淹没在日后变

成泥灰岩的淤泥中。

这是以一些小丘作为坟冢的软体动物的坟场。

我曾挖到过一些长约半米重两三公斤的牡蛎。用铁

锹在这坟堆里翻动，就会见到

扇贝、芋螺、骨螺、锥

螺、笔螺以及其他各

种各样的海洋生物。看到这么一个偏僻角落，竟然

藏有从前的激情充斥的生命所能提供的这么一大堆

的圣物，真让人惊叹愕然。

长有贝壳的埋葬虫还向我们证实，时间这个

事物秩序的有耐心的革新者，不仅毁灭了早生早灭

的单个生物，而且还毁灭了整个物种。今天，毗邻

的大海——地中海几乎已不再有任何与消失的海湾中的居民相同的东西了。

要想找到现在与往昔之间的一些相类似的容貌，可能得到那些热带海洋去寻找了。气候已经变冷了，太阳在慢慢地熄灭，物种在灭绝。我家窗户边缘的石头古币学就是这么告诉我的。

我们不要离开我那极不起眼、极其狭小但却极为丰富的观察场所，继续向石头讨教，但这一次是要讨教有关昆虫的问题。在阿普特周围，一种奇特的岩石遍地皆是，它已风化得像书页了，类似于浅白色的硬纸板片。

这种岩石用火点燃会冒出黑烟，有一股沥青味儿；它沉积在鳄鱼和巨龟经常出没的一些大湖的湖底。这些大湖人类从未亲眼见过，湖盆被山脊所替代；湖泥平静地沉积成一层层的薄地层，变成了又大又硬的礁石。

我们从这礁石上分离出一块石板来，然后再用刀尖

把这块石板分成一些薄片，这工作十分容易，就像

把重叠在一起的硬纸板一层

层地剥开似的。我们这样做

就像是在查阅从大山图书馆

取出的一部书。我们在浏览

一本配有精美插图的书。这

是一部大自然的手稿，比埃

及那纸莎草纸手稿更加有趣

得多。它几乎每一页

都有一些插图，而且

更妙的是，那是一些

变成图像的现实。在

这一页上，展现的是随意聚

集在一起的鱼类。你会以为那是用石油煎炸过的

鱼。鱼刺、鱼鳍、脊椎架、鱼头小骨、已变成黑色小

球的晶状眼球等全都印在上面，与生前的自然形

态一模一样。唯一缺少的是：鱼肉。

这无伤大雅：绚鱼这道菜让人大饱眼福，使人

禁不住想要用指尖去刮擦刮擦，再尝上一口这种保存了数千年的鱼肉罐头。

我们来发挥一下奇思异想：让我们放一点这种石油煎炸的矿物鱼在牙齿下面。插图四周没有一点文字说明，思考代替了文字说明。思考在对我们说："这些鱼成群结队地在那儿的平静的水里大量地生活过。湖水突然猛涨，夹带着厚厚的淤泥的浪涛使它们窒息而死。

它们很快就被淤泥掩埋起来，因而逃过了暴风雨的毁灭性打击，从而穿越了时空，并将在裹尸布的庇护下永远地继续穿越这时空隧道。"

这突然暴涨的湖水还夹带来附近被雨水冲刷的泥土以及一大堆一大堆的植物或动物的残肢碎屑，因此这湖泊的沉积物也告

177

诉了我们那些陆地生物的情况。这是当时的生命的总汇。

我们再翻过我们的石板或者说我们的画册的一页。里面有长着翅膀的种子，有着褐色印迹的叶子。石头植物集与专业植物集在比试着植物的清晰度。这石头植物集在向我们传达贝壳已经告诉过我们的情况：世界在变化着，太阳的烈炎在减弱。

现在的普罗旺斯的植物并非从前的那些植物；现在的普罗旺斯的植物中不再有棕榈树、散发出樟脑味的月桂树、带羽毛饰的南洋杉以及其他的许许多多现已属于热带植物的树木和灌木。

我们继续往下翻阅。现在看到的是昆虫。最常见的是双翅目昆虫，个头儿很小，常常是一些不起眼的小飞虫。大角鲨的牙齿的粗糙石灰质外表的中间却十分细滑，让我们看了非常惊讶。对这些嵌于泥灰岩圣骨箱中而完好无损的娇小飞虫又该说些什么呢?我们用手去抓必定会使之粉身碎骨的这种娇小生命竟然在群山峻岭的重压之下躺在里面没有变形!

那六只细爪张开在石头上,形状、姿态完全处于休息之中,稍稍一碰,爪子肯定会断。爪子很完整,包括指头上的双爪也都在。两个翅膀是展开来的,用放大镜对双翅的纤细脉网进行研究,同用大头针把这只昆虫固定住加以研究是异曲同工的。触角的羽毛饰丝毫未失其纤巧美丽;腹部的体节可以数清,有一排微粒围着,这些微粒也就是它的纤毛。乳齿象的骨架在其沙床上躺着,年深日久而不损毁,这就够让我们惊讶不已的了:一只娇弱小巧的飞虫竟然完好无损地保存于厚厚的岩石中,这简直是让我们瞠目结舌。

当然，蚊虫并非来自远方，不是由上涨的湖水卷带而来的。在大水到来之前，涓涓细流本来就会将它化为它已极其接近的乌有状态的。它在湖边结束了生命。它被一个早晨的欢乐杀死了，因为一个早晨对于蚊虫来说就已算是长命百岁了。它从灯芯草顶端掉下来淹死了，而这个溺水者即刻便消失在淤泥坟地之中。

其他的那些虫子，那些粗短的，长着坚硬的凸状鞘翅的虫子，那些数量仅次于双翅目昆虫的虫子，它们是些什么样的虫子呢？看看它们延伸成喇叭状的狭小的脑袋，我们就一清二楚了。它们是长鼻鞘翅目昆虫，是有吻类昆虫，说得稍稍文雅点，就是象虫。细小的、中等个儿的、大个头儿的全都有，与它们今天的同类的大小一样。它们在石灰质岩片上的姿态没有蚊虫的姿态端正。爪子乱伸，喙或藏在胸下，或

向前伸出。它们当中，有的露出喙的侧面，更多的是通过颈部的一绺浓毛把喙歪在一边。

这些肢体残缺不全、身体扭曲着的象虫不是突然地、平静地被埋葬的。虽然有许多象虫是在湖边植物丛中了却一生的，但大部分其他象虫则是来自周围地区，被雨水冲带来的，在途中遇到细枝碎石，把肢体给弄得残缺不全。它们虽然身有铠甲，使身子完好无损，但肢爪上细小的关节却被弄弯弄残，而污泥这块裹尸布把它们在途中被弄成什么样儿就什么样儿地裹起来。这些外来的象虫也许来自远方，它们向我们提供了宝贵的资料。它们告诉我们，如果说湖边昆虫类的最主要代表是蚊子的话，那么树林中昆虫类的代表则是象虫。

除了吻管科昆虫之外，我的那些岩石书页特别是在鞘翅目昆虫方面的确没再向我展示什么。那么，其他的那些陆地昆虫族，如步甲虫、食粪虫、圣金龟等被雨水不分彼此地把它们像象虫一样地带到湖中来的那些昆虫现在都在哪儿呢？这些今天繁荣昌盛的昆虫族类没有留下一点点蛛丝马迹。

水龟虫、鼓虫、龙虱这些水中居民都在何处？关于这些湖泊昆虫，很可能在我们发现它们时，它们已在两块泥炭岩中间变成木乃伊。如果当时有这种昆虫存在的话，那它们就生活在湖泊中，而湖中的淤泥就很可能把这些带角的昆虫比小鱼，尤其是比双翅目昆虫更加完整地保存下来的。喏，关于这些水生鞘翅目昆虫，也没有留下任何踪迹。

这些峰地质圣骨箱中找不到的昆虫，它们究竟在哪里呢？荆棘丛中的、草丛中的、被虫蛀蚀的树干中的这些昆虫——会钻木的天牛、滚粪球的金龟子、对猎物开膛破肚的步甲虫,它们都在哪里呢?

它们全都处于正在变化中的未成形者。在当时还没有它们:未来在等待着它们。如果我相信我闲暇时查阅的那些简单的档案资料的话,象虫就可能是鞘翅目昆虫中的长者。

在其初始阶段,生命制造出一些可能与现今和谐状态中的情景相去甚远的奇特的东西。当生命创造蜥蜴类动物的时候,它一开始热衷于一些长达15~20米的怪兽。它让它们鼻子上、眼睛上长上角,让它们的背部披上鳞片,让它们颈凹成有刺的袋子,脑袋可以像是戴风帽似的缩到里面去。生命甚至还试图让这些巨兽长上翅膀,但却未能遂愿。

经过这些可怕的事情之后,生殖的激情平静下来,于是便出现了我们藩篱上的可爱的绿色蜥蜴。

当生命创造鸟的时候,它让鸟喙上长有爬

行动物的尖利的牙齿，让鸟的臀部拖着饰有羽毛的尾巴。这些未定型的、丑陋不堪的生物是红喉雀和鸽子的远祖。所有这些原始动物，头都很小，智力很差。远古的野兽没有别的，只是一部捕捉猎物的机器，一只消化食物的胃。智力当时尚无关紧要，那是后来的事。

象虫就在以自己的方式稍微在重复这类畸变。

看看它小脑袋上的那个怪异的延伸部分。那上面这儿有又厚又短的吻，别处有很粗的圆形吻管或切削成四棱面的吻管。另外，这个延伸部分就像北美印第安人那怪模怪样的长烟袋，它极其纤细，长如身子，甚至超过身长。在这个奇特的工具末端，在末端口里，是上颚那把精巧的剪刀。其身体两侧为两根触角。

这个喙，这

个嘴，这个怪模怪样的鼻
子有什么用处呀？象虫是
在哪儿找到这种器官的模型的？
它哪儿也没找到过这种模型，它自己
就是这种模型的创造者，它拥有这种
模型的专利。除了它这一种族之外，其他任
何鞘翅目昆虫都没有这种奇形怪状的嘴。
我们还要注意它脑袋之狭小异常。那是在
鼻子底部膨胀起来的一个球球。那球里面会有
什么呢？一个可怜的神经工具，那是极其有限的本
能的标志。在看到这些小脑袋的家伙干活儿之前，
没人注意它们智力方面的事。它们被归入木讷迟
钝、没有本领的昆虫之列。这种看法以后并未遭
到否定。

虽然象虫科昆虫在才能方面没人恭维，但并不
能因此就对它们不屑一顾。正如湖中岩片书页告诉
我们的那样，它们是位居长鞘翅的昆虫之前列的。
它们早就在预防突发事件方面领先于在孵育方面最
为灵巧的昆虫。它们向我们展示了一些原始昆虫

形态，有时是极其怪异的形态。它们在自己那小小的世界中就如同长着齿形大颚的猛禽和长着有角的眉毛的蜥蜴在它们那高级世界中的情况一样。

它们一直繁荣昌盛，繁衍至今，但特征未变。它们今天的形态就是它们在各大陆的古老年代的形态。这一点由石灰岩书页高度地证明了。我敢于把其属，有时甚至是其种的名称标注在岩片书页的那些图像下面。

本能的不变性应该是伴随着形态的恒久性的。

通过查阅现代象虫科昆虫的资料，我们将就它们祖先的生物单方面写出与其实际情况较接近的一个章节。在它们祖先的那个时代，我们的普罗旺斯还有棕榈树在遮蔽着鳄鱼出没的辽阔的湖泊里。讲述现代的历史将向我们叙述往昔的历史。